时尚编织

柔暖毛衣

Knitting Style

Soft and Warm Sweater

目录 CONTENTS

附录
Appendix

94

阅读说明：如果在编织过程中遇到难题，
请参看附录中"毛衣编织的步骤"。

柔暖毛衣，装扮时尚季节
Soft and Warm Sweater, Make up Fashionable Season

怀旧，是一种觉醒，

也是一种体悟追思。

沿着遗落在时光隧道散延开来的，

是接连我们过去与现在的那根绒线。

于是，我们开始回头，

寻觅那些丢失已久的东西……

编织的回归，已经成为一股无法抵挡的趋势。看看大街小巷里的毛线编织店吧，一幅幅动人的"织女图"，无一不在诉说着传统手工的魅力。那么，是什么原因让现在的年轻人，重新拿起线球呢？

手工编织历史悠久，尽管现在的机织服装和工艺品风靡天下，但手织品依然备受青睐。

漂亮别致的新颖毛线总能轻易地触动潜藏在你我内心深处的温柔，一对"针锋相对"的长针与柔软毛茸的绒线纠缠在一起，在欲拒还迎、牵丝攀藤的交锋中，织出一片温暖的彩虹。

别以为这只是一件消磨时光的手工活儿，经常活动手指关节能帮助健脑减压哦。我们的大脑中很多部位与手指相对应，手工编织活动能促进大脑内的血液循环，预防大脑痴呆，保持头脑灵活；手工编织还能让人在一定时间内分散注意力去完成一项轻松有趣的工作，对缓解人们的心理压力相当有效。

编织，是一种快乐的积累。看那一针一线在手中游走，从那最初一卷卷的绒线到一件件精美的织物，我们用双手收获了创造快乐的全过程。一件件织物，带着织者的温馨与灵气，仿佛一股清新的风，以其独特的方式向人们诠释着另一种时尚与经典。现在，就运用你灵巧的双手，编织你的个性品位吧！

毛衣是最有亲切感的衣服
喜爱毛衣的人是重感情的
是向往浪漫并且渴望拥抱的

穿一件质地轻暖
色彩艳丽的毛衣
贴身舒适又不失浪漫气息
那种温暖感受发自心底地为你驱赶寒意

靓丽又时尚
知性且优雅
俏皮与性感
期望在这岁末的秋冬
用毛衣编织属于你的独特魅力

Part 1

The Colorful World of Knitting

走进多彩的编织世界

编织，

这个带有浓重的20世纪70年代色彩的流行元素，

在沉寂已久以后卷土重来，

成为今季最耀眼的风潮，

在被奢华包围的时尚界，

表明了崇尚自然的态度，

为我们带来了一种单纯的温馨与舒适。

毛衣，是爱的代言：

在寒风习习的街头，脚下踩着片片飘落的黄叶，

毛衣的温暖和亲切就会在刹那间包围过来，

真真切切的，

从未远离我们冬日的期盼……

认识编织的常见工具与材料

如果你有编织的经验，那么一定知道，编织的时候需要一些常用的工具，帮助你完成一件件精美的作品。如果是初次尝试编织的朋友，就要仔细地阅读下面的内容，轻松掌握编织入门的基础知识。

1.棒针

棒针有许多不同的粗细和纹质，从0号、1号……一直到50mm都有，而材质有钢、铝、塑料、木头或竹子。棒针的型号越小，直径越粗。一般用细棒针织特细线时，最好还是用木头或竹子的，才不会太滑，其他则要看个人使用习惯。

2.双头棒针

通常是一套4根或5根，用来作环状编织。如果不想另外买棒针，又怕双头棒针会有滑落的情形，可以在双头棒针的其中一头绑上橡皮圈，就可以当一般棒针来使用了。

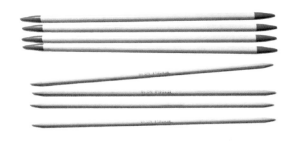

3.钩针

底端缠绕织线，以引拔方式，编织较无弹性织品时使用的织针。多数使用金属制造，分两端有不同粗细的钩和只有一端有钩的钩针。编织毛线时，多数使用1/0号至8/0号钩针。编号越大，钩针越粗，因此要按照编织粗细做适当的选择。

4.轮针

两根棒针中间有一条细的塑料线相连，用来织比较大型的圆筒状织品，也可以拿来作一般棒针使用，在织比较宽的编片时可以避免滑落。

5.毛线缝针

针头比较钝，线孔比较大，可以穿过毛线使用。多数为金属制造，用来缝合织品。

6.计数器

可以用来计算段数、针数，避免计算错误。

7.尺

用来测量织品长宽尺寸的宝贝。

8.剪刀

就是用来剪线的！

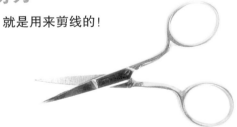

9.防解别针

将需要空出来的针数用别针别起来，使用十分方便。

Part 2

Your Unique Knitting Clothes

DIY手工坊绝对独一无二

在追求时尚、追求变化的今天，

毛衣绝对不再是中规中矩、千篇一律的。

颠覆传统的设计思维，毛衣可以代表不同的风格。

夸张的流苏、炫目的珠片、性感的镂空……

这些都是一种对美丽的宣泄。

当然，毛衣的时装化，使毛衣的时尚化凌驾于它的实用性。

设计师似乎不约而同将设计重点集中在领口的变化上，

大V领、露出女性香肩的大圆领，同时配合以多变的彩色毛线，

足以令毛衣兼具实用性与装饰性。

Romantic Dating Dress

01. 浪漫约会装

约会的气氛总是让人联想到浪漫、温馨，
配合特别的场合，
当然要穿着浪漫的服装。

毛衣柔软的质地、复古的编织方法、多变的款式，
可以充分展现女性柔美、优雅的气质。

1

不同颜色的花朵，散落在色彩简单的毛衣上，让人感受到春天的温暖气息。钩针编织的套裙，很适合约会

2

胸前的花朵装饰是亮点，平肩设计让单一颜色的毛衣缓解单调感，不要太紧张，要对今天的约会充满自信

竖排文字：

不经意间展露自己的编织才能
手提同色系的小手带
仿佛与约会的心情一样灿烂
采用多种颜色的变化

❤❤ 材料和工具

线

1️⃣ 灰白色、粉色、蓝色渐变毛线
　　羊毛衫185克，裙140克
　　马海毛超极细型蜡彩系渐变毛线
　　羊毛衫160克，裙子110克

2️⃣ 中细型茶色毛线250克

3️⃣ 并太型紫色系段染毛线370克

针

1️⃣ 钩针6/0号，5/0号，4/0号

2️⃣ 钩针7/0号，6/0号，5/0号

3️⃣ 钩针6/0号

❤❤ 辅助材料

橡胶带长62cm、宽3cm

❤ 尺　　寸

1️⃣ **羊毛衫**：胸围89cm，衣长51.5cm，背肩
　　宽36cm，袖长54.5cm

　　裙子：腰围62cm，臀围90cm，裙长62cm

2️⃣ 腰围62cm，臀围90cm，裙长81.5cm

3️⃣ 胸围89.5cm，衣长53.5cm，背肩宽36cm，
　　袖长52.5cm

❤❤ 织法顺序

蓝色是1，绿色是2，红色是3，黑色共用

❤❤ 织法说明

1.钩织后片

① 锁针起85针，不加减针以花样编织钩
　31行34行。

② 留出两侧的8针，不加减针钩16行至领
　围，领围分成左右编织。

前后片的织法图

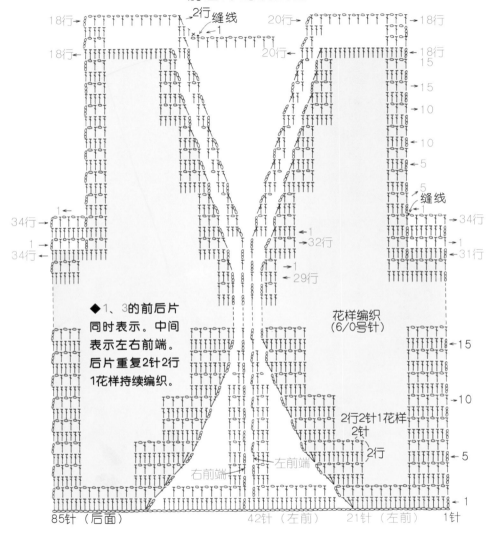

18行 ┌─ 2行 缝线 ┐ 20行 18行
18行 ←─ 20行 ←─ 18行
15
15
10
10
5
缝线 5
34行 1 ←─ 1 ←─ 34行
1 32行 31行
34行 ←─ 1 ←─ 29行

◆1、3的前后片
同时表示。中间
表示左右前端。
后片重复2针2行
1花样持续编织。

花样编织
（6/0号针）

15

10

2行2针1花样
2针
2行 5

右前端 左前端

85针（后面） 42针（左前） 21针（左前） 1针

■文字蓝色是1，绿色是2，红色是3，黑色共用

$\underset{\text{（锁半针另一侧挑针）}}{\overset{\text{（锁半针另一侧挑针）}}{\vee}}$ = 短针2针   X = 短针（锁半针另一侧挑针）   ⬣ = 饰边小圈   T = 中长针   ⊤ = 长针

= 短针3针（锁半针另一侧挑直）   A = 长针2针并一针   V = 长针2针   • = 引拔针   X = 短针

= 锁针

2.织前片

① 与后面同样起21针42针，3以同样方法编织，1按图加针于下摆的弧形上的同时编织。

② 29行32行织完后，在领围处减针。

3.织袖子

用与衣身一样的起针方法起47针，袖底缝一边加针一边钩52行51行花样编织。

4.钩织花样

1钩花样A与B，将相同片数的花样A织接，衣身

与袖子锁缝上。

5.缝接肩部，缝合腋下和袖底缝

绕接肩部、腋下、袖底缝锁2针，短针1针缝合（锁缝）。

6.下摆、前襟领、袖口的处理

① 1在图中位置安上带子，将花样A缀于边端。

② 3下摆、前襟领、袖口钩3行边。前门襟第2行制作6个锁2针的钮扣眼。

3 下摆、前襟、袖口 钩边（6/0号针）

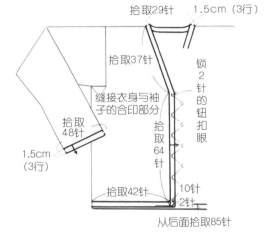

拾取29针　1.5cm（3行）

拾取37针

锁2针的钮扣眼

缝接衣身与袖子的合印部分

拾取48针

拾取64针

1.5cm（3行）

拾取42针

10针2针

从后面拾取85针

钩边的钮扣眼　3行

2针
10针
2针
1、2、3行
12
★第3行接续编织

1 整理

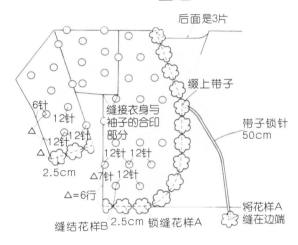

后面是3片

缀上带子

带子锁针50cm

缝接衣身与袖子的合印部分

6针
12针
12针 12针
12针 12针
2.5cm
△7针 12针
△=6行

将花样A缝在边端

缝结花样B　2.5cm 锁缝花样A

布包扣

短针（6/0号针）

2行
1环

穿入同色线接紧

1.5cm

袖子的织法图

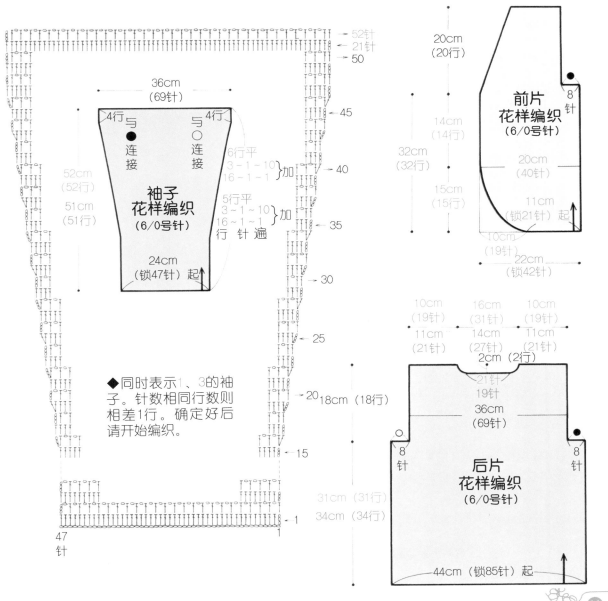

52针
21针
50

36cm
（69针）

4行 与 与 4行

● ○
连 连
接 接

52cm
（52行）

51cm
（51行）

袖子
花样编织
（6/0号针）

45

6行平
3～1～10 }加
16～1～1

40

5行平
3～1～10 }加
16－1－1

35

行 针 遍

24cm
（锁47针）起

30

25

◆同时表示1、3的袖
子。针数相同行数则
相差1行。确定好后
请开始编织。

20 18cm（18行）

15

1

47
针

1

7cm 10cm（19针）
（13针）11cm（21针）

20cm
（20行）

前片
花样编织
（6/0号针）

8
针

14cm
（14行）

32cm
（32行）

20cm
（40针）

15cm
（15行）

11cm
（锁21针）起

10cm
（19针）

22cm
（锁42针）

10cm 16cm 10cm
（19针）（31针）（19针）

11cm 14cm 11cm
（21针）（27针）（21针）

2cm（2行）

21针
19针

36cm
（69针）

8
针

后片
花样编织
（6/0号针）

8
针

31cm（31行）
34cm（34行）

44cm（锁85针）起

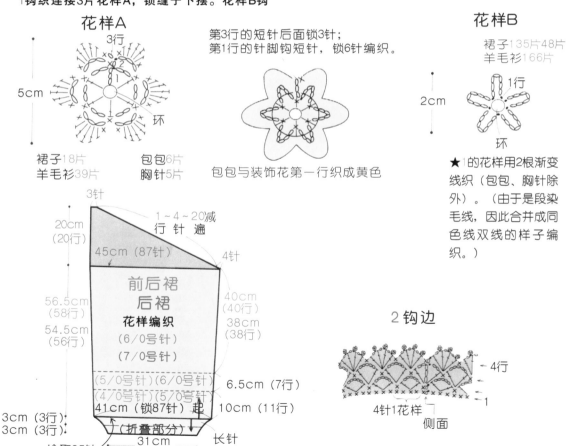

织法说明

裙子

1.织前后片

①同衣身一样起87针，一边改换针的号数，一边钩58行56行花样编织。

②2一侧减针钩20行，前面右右对称编织。

③腰身拾取65针，钩长针。

2.钩织花样

1钩织连接3片花样A，锁缝于下摆。花样B钩

135片48片，缝缀于指定位置。

3.缝合侧面，锁缝折叠部分

①侧面与衣身一样锁缝。

②折叠部分折入反面锁缝，穿入橡胶带。

4.钩边

2在下摆钩完边后，缝缀花样B。

花样A

3行

5cm

环

裙子18片
羊毛衫39片

包包6片
胸针5片

第3行的短针后面锁3针；
第1行的针脚钩短针，锁6针编织。

包包与装饰花第一行织成黄色

花样B

裙子135片48片
羊毛衫166片

2cm

1行

环

★1的花样用2根渐变线织（包包、胸针除外）。（由于是段染毛线，因此合并成同色线双线的样子编织。）

3针

20cm
(20行)

1~4~20减
行 针 遍

45cm (87针)

4针

前后裙
后裙
花样编织
(6/0号针)
(7/0号针)

56.5cm
(58行)

54.5cm
(56行)

40cm
(40行)

38cm
(38行)

(5/0号针)(6/0号针)
(4/0号针)(5/0号针)

6.5cm (7行)

2 钩边

3cm (3行)
3cm (3行)

41cm (锁87针) 起

折叠部分

10cm (11行)

长针

31cm
(65针)

拾取65针

(4/0号针)(5/0号针)

4行

1

4针1花样

侧面

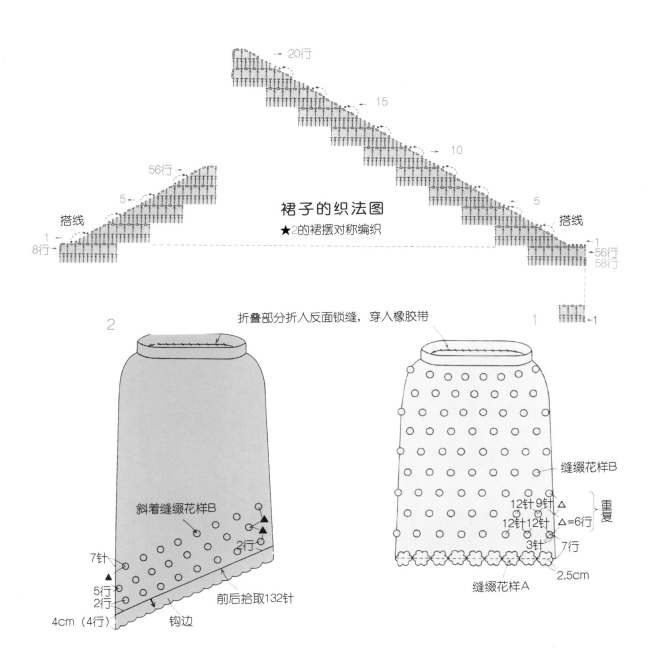

裙子的织法图
★2的裙摆对称编织

20行

15

10

5

56行

5

搭线

搭线

1
8行

1
56行
58行

1
1

折叠部分折入反面锁缝，穿入橡胶带

2

斜着缝缀花样B

2行

7针

前后拾取132针

5行
2行

钩边

4cm（4行）

缝缀花样B

12针 9针 △
重复
12针 12针 △=6行
3针
7针

2.5cm

缝缀花样A

■文字当中蓝色是1，绿色是2，红色是3，黑色共用

复古风格渐变毛衣

In Ancient Style

Gradual Change Sweater

1

咖啡色在冬日的阳光下，给人温暖的感觉

款式简单的手编短袖，在寒冷的季节十分适用

2

黑、白、灰混色毛线，编织出特殊的撞色效果

采用直接锁边的方法，制造略微外翻的效果

茶花系混色毛线 让人感觉温暖

高领的设计弹性编织方法

3

粉色与花朵图案搭配甜美而内敛

具有20世纪60年代的复古风格

深V领搭配喇叭中袖设计

♥ 材料和工具

线

1 极粗型茶色系编织线330克

2 超极粗型黑色混色线300克

3 极粗型粉色系混色线220克

4 极粗灰色编织线160克，蓝色系混色线120克

针

1 棒针7mm2根，13号4根

2 棒针8mm2根，15号4根

3 棒针7mm、8mm、10mm、13号各2根

4 棒针8mm、15号各2根，7mm、15号各4根

♥ 尺　　寸

1 胸围86cm，衣长52cm，背肩宽33cm，袖长10cm

23 共用，胸围86cm，衣长50cm，背肩宽36cm

4 胸围86cm，衣长55cm，背肩宽33cm，袖长30cm

♥ 织法顺序

橘黄色是1，蓝色是2，绿色是3，红色是4，
黑色共用

♥ 织法说明

1.织后片

① 一般的起针48针48针40针40针起。1、2织
1行上1行下，3、4织1针上1针下，侧缝长不
加减针织50行44行42行26行。

② 左右袖笼以抛针A与2针并1针（右、左上2针
并1针）减针。

③ 织24行至肩部，分为肩部的10针10针6针6
针，与领部开口的16针，分别作空针处理。

2.织前片

① 1、2按袖笼、领围的顺序减针。3织18行侧
缝长，再按领围、袖笼的顺序减针。

② 4织成与后片同样的形状。

3. 1、3织袖子

与衣身同样方法起36针，3的袖底缝以调节针
法来加大尺寸。

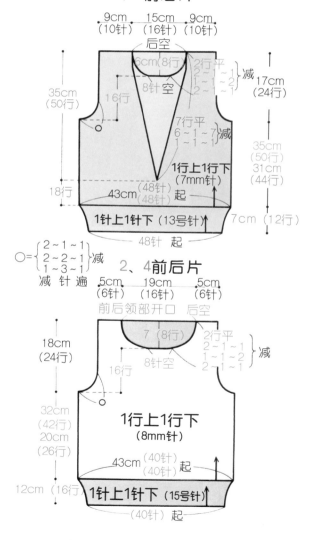

1、3前后片

9cm（10针）　15cm（16针）　9cm（10针）

后空

6cm（8行）　2行平　2-1-1　2-1-2　减　17cm（24行）

8针空

35cm（50行）

16行

7行平　6-1-7　减　6-1-1

35cm（50行）31cm（44行）

1行上1行下（7mm针）

18行

43cm（48针）（48针）起

1针上1针下（13号针）

48针 起

7cm（12行）

○＝ { 2-1-1 / 2-2-1 / 1-3-1 } 减
减　针　遍

2、4前后片

5cm（6针）　19cm（16针）　5cm（6针）

前后领部开口　后空

7（8行）　2行平　2-1-1　2-1-2　减　1-1-1

8针空

18cm（24行）

16行

1行上1行下（8mm针）

32cm（42行）

20cm（26行）

43cm（40针）（40针）起

1针上1针下（15号针）

12cm（16行）

（40针）起

1、3袖子的织法图

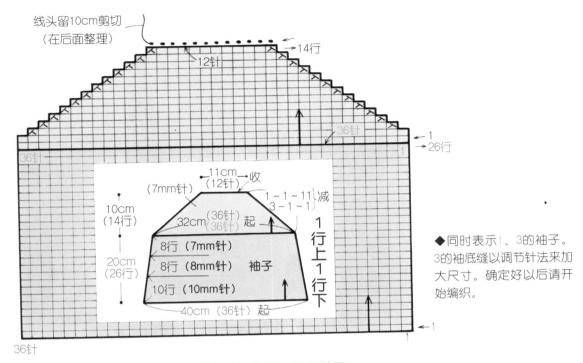

线头留10cm剪切
（在后面整理）

12针

14行

36针

36针

1
26行

11cm
（12针）　收

（7mm针）

1～1～11 减
3～1～1

（36针）　起

10cm
（14行）

32cm（36针）

8行（7mm针）

8行（8mm针）　袖子

20cm
（26行）

10行（10mm针）

40cm（36针）　起

1
行
上
1
行
下

◆同时表示1、3的袖子。
3的袖底缝以调节针法来加
大尺寸。确定好以后请开
始编织。

1

36针

■文字中橘黄色是1，蓝色是2，绿色是3，红色是4，黑色共用

♥♥ 织法说明

4.缝接肩部、织领围和前端

①将前后片反面朝外合起来，用剩下的线头作
引拔连接。

②1、2、4用4根棒针从前后领围拾取针眼，钩
1针上1针下形成环，收针A。

③3在后面收针A，前面直接整理外形。

5.缝合腋下1、3的袖底缝

从编织方向上以暗针缝合。

6.织袖笼、接上袖子

①2、4用4根棒针从前后袖笼拾取36针，钩1针
上1针下形成环，织收针A。

②1、3将衣身与袖子反面朝外合起来，看着衣
身一侧作引拔缝合。

7.处理线头

作品回到反面，处理毛线，使线头不要从正面
露出。

3 整理

★ 领围后面收针，前面直接整理外形。

引拔缝合
收
引拔连接
挑针结

4 领子、袖笼

1针上1针下（蓝色系）

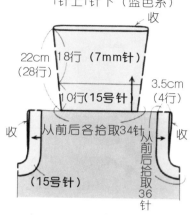

收
22cm（18行（7mm针）
（28行）
10行（15号针）
3.5cm（4行）
收
收
从前后各拾取34针
从前后拾取36针
（15号针）

■＝
为便于肩部的连接，线头部分留出肩宽的4倍长度，剪切。
→24行

★ 2、4同样不加减针，织42行26行侧缝长

2 4前后片的织法图

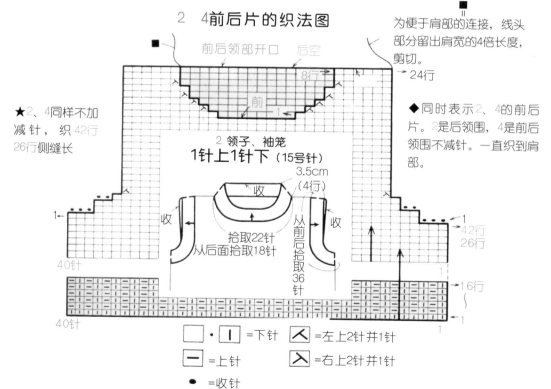

前后领部开口　后空
8行
前
1
2 领子、袖笼
1针上1针下（15号针）
3.5cm（4行）
收
收
收
拾取22针
从后面拾取18针
从前后拾取36针
40针
16行
1
40针

◆ 同时表示2、4的前后片。2是后领围，4是前后领围不减针。一直织到肩部。

42行
26行
1

□ · |	=下针	人	=左上2针并1针
一	=上针	人	=右上2针并1针
●	=收针		

1、3前后片的织法图

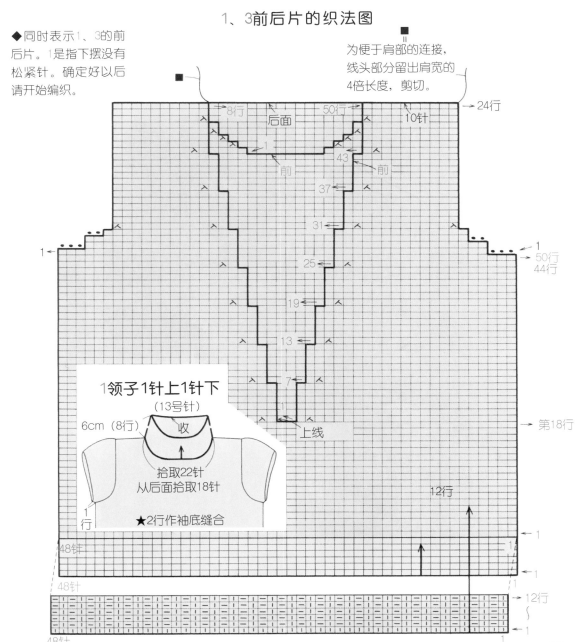

◆同时表示1、3的前后片。1是指下摆没有松紧针。确定好以后请开始编织。

为便于肩部的连接，线头部分留出肩宽的4倍长度，剪切。

8行   50行   10针   →24行

后面

前   43   前

37

31   →1
25   50行
44行

19

13

7

上线

→第18行

1领子1针上1针下
(13号针)

6cm（8行）   收

拾取22针
从后面拾取18针

★2行作袖底缝合

1行

12行

→1

1

→1

48针

48针   12行

48针   1

Ordinary Casual Dress

02. 日常休闲装

独特的抽带设计款式、特粗的毛线、
随意的披肩编织方法，
休闲款式的毛衣是日常穿着的佳品。
你可以根据自己的喜好随意设计毛衣的款式，
充分彰显个性，
只要自己喜欢就好。

1

连家里的狗狗都在赞赏我的创意

织一条红色的毛线绳加在胸前

超人气冬日单品，混色短袖手编毛衫

2

修饰了胸部的线条，让整件毛衣看起来活泼了许多

黑色的无袖连衫裙，胸前加了一条黑色的抽带

彩
虹
毛
衣
，
底
边
接
缝
处
的
抽
带

赋
予
毛
衣
顽
皮
的
气
质
，
穿
着
更
轻
松
随
意

材料和工具

线

1 超极粗型红色系印花毛线390克

2 超极粗型黑色印花毛线620克

3 超极粗型绿、紫、蓝、茶色的段染线610克

针

1 2 3 共用，棒针7mm2根，钩针8/0号

2 3 共用，棒针14号4根

辅助材料

1 直径1.2cm钮扣1个

2 宽1cm、长170cm黑色皮革带

尺　　寸

1 胸围86cm，衣长51.5cm，背肩宽31cm，袖长18.3cm

2 胸围84cm，衣长86.5cm，背肩宽31.6cm

3 胸围86cm，衣长56.5cm，背肩宽31cm，袖长56.8cm

织法顺序

红色是**1**，绿色是**2**，蓝色是**3**，黑色共用

织法说明

1.织后片

① 用普通起针法起针，57针77针57针，织1行上1行下。

② 1、3侧缝长不加减针织52行60行，2减了侧缝长（右、左上2针并1针）后织87针与21针。

③ 3在右端第3针至第11行一边开穿带子（左上2针并1针，空针）一边编织。

④ 袖笼以收针A和2针并1针减针。

⑤ 1织了16行后从中间分成左右，制作后开领。

⑥ 领围作减针，肩部作返回针，空针。

前后片的织法图

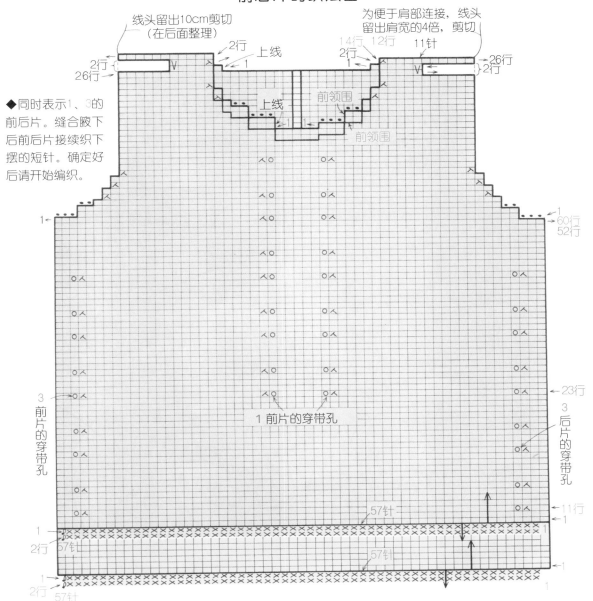

线头留出10cm剪切
（在后面整理）

为便于肩部连接，线头
留出肩宽的4倍，剪切

2行　上线

14行　12行

11针

2行
26行

2行
1

2行
1

2行
26行

上线

前领围

1

前领围

◆同时表示1、3的
前后片。缝合腋下
后前后片接续织下
摆的短针。确定好
后请开始编织。

1

1
60行
52行

3
前片的穿带孔

1 前片的穿带孔

23行

3
后片的穿带孔

57针

11行
1

1
2行
57针

57针

1
2行
57针

1

■文字中红色是**1**，绿色是**2**，蓝色是**3**，黑色共用

2.织前片

1、2、3都是与后片同样方法编织。1从下摆从第23行，2从第77行开始在前部中央制作穿带孔。从袖笼起织16行14行14行，减领围。

3.织袖子

①与衣身同样方法起针，3减针与加针（空针的加针），1加针的同时在同一行的左右将袖底缝织66行68行，1行上1行下。

②袖山以收针和2针并1针减针。中央的13针作收针。

4.连接肩部

前后片反面朝外合起来，以纵向连接缝合。

5.织领子

①2、3从前后领围拾取56针，1针上1针下织22行形成环，1针上1针下结线。

②1在前后领围与后领开口织1行短针。

3领子

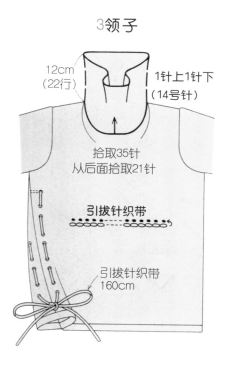

12cm（22行）　1针上1针下（14号针）

拾取35针　从后面拾取21针

引拔针织带

引拔针织带160cm

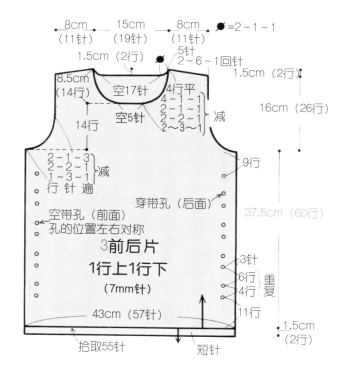

8cm（11针）　15cm（19针）　8cm（11针）　●=2~1~1

1.5cm（2行）　5针　2~6~1回针

1.5cm（2行）

8.5cm（14行）　空17针　4行平　4~1~1 2~1~1 2~2~1 2~3~1 减

14行　空5针

16cm（26行）

2~1~3 2~2~1 1~3~1 减　行针遍

9行

空带孔（前面）　穿带孔（后面）

孔的位置左右对称

37.5cm（60行）

3前后片 1行上1行下（7mm针）

3针 6行重复 4行 11行

43cm（57针）

拾取55针　短针

1.5cm（2行）

1领围

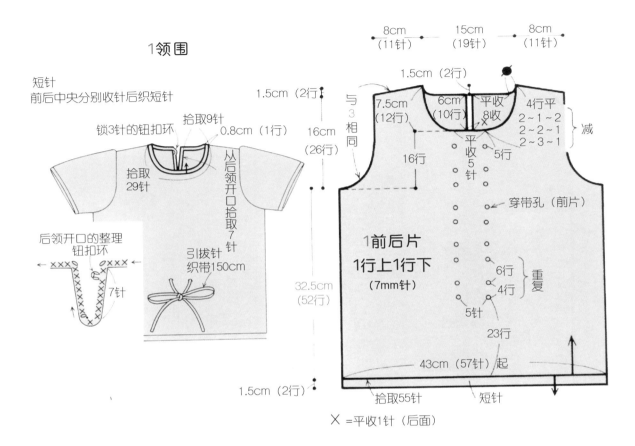

短针
前后中央分别收针后织短针

锁3针的钮扣环

拾取9针
0.8cm（1行）

拾取29针

从后领开口拾取7针

引拔针织带150cm

后领开口的整理钮扣环

7针

1.5cm（2行）
16cm（26行）
32.5cm（52行）
1.5cm（2行）

与3相同

8cm（11针）　15cm（19针）　8cm（11针）

1.5cm（2行）

7.5cm（12行）　6cm（10针）　平收8收　4行平
16行　平收5针　5行　2～1～2　2～2～1　2～3～1　减

穿带孔（前片）

1前后片
1行上1行下
（7mm针）

6行　4行　重复
5针
5针
23行
43cm（57针）起

拾取55针　　短针

✕＝平收1针（后面）

织法说明

6.缝合腋下，袖底缝
腋下从下摆起，袖底缝从袖口起挑针结。

7.织下摆、袖口、袖笼
下摆钩2行短针，1、3在袖口，2在袖笼分别钩1行短针。

8.缝接袖子
将衣身与袖子反面朝外合起来，引拔缝合。

9.整理
①1、3是以引拔针织的带子，2是将皮革带穿入穿带孔系结。

②2的前后片同时表示。前片从第77行起在中间制作穿带孔。确定好以后请开始织。

袖子的织法图

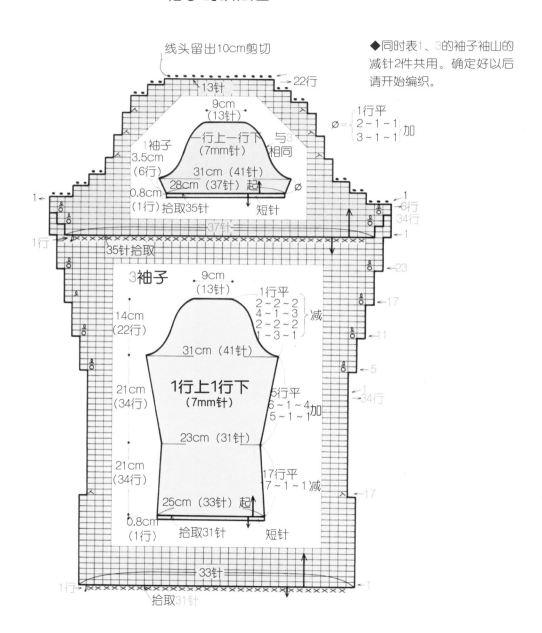

线头留出10cm剪切

13针　22行

9cm
（13针）

1袖子
3.5cm
（6行）

一行上一行下
（7mm针）　　与3相同

31cm（41针）

28cm（37针）起

$\emptyset = \begin{cases} 1行平 \\ 2～1～1 \\ 3～1～1 \end{cases}$加

0.8cm
（1行）拾取35针

短针

$\emptyset$

37针

1　　　　6行
　　　　34行
1　　　　1

35针拾取

1行

3袖子

9cm
（13针）

$\begin{cases} 1行平 \\ 2～2～2 \\ 4～1～3 \\ 2～2～2 \\ 1～3～1 \end{cases}$减

14cm
（22行）

31cm（41针）

23

1行上1行下
（7mm针）

5行平
6～1～4
5～1～1 加

17

21cm
（34行）

11

23cm（31针）

5

21cm
（34行）

17行平
7～1～1减

34行

25cm（33针）起

17

0.8cm
（1行）

拾取31针

短针

33针

1行　　　　　　　　　　　1

拾取31针

◆同时表1、3的袖子袖山的减针2件共用。确定好以后请开始编织。

前后片的织法图

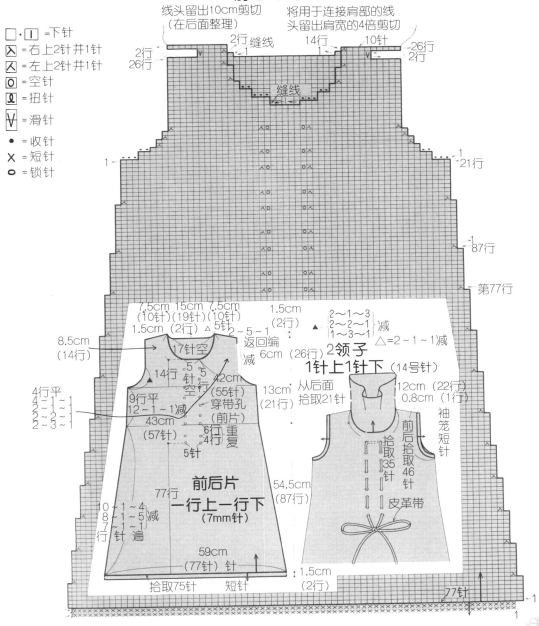

□·|| =下针
⊠ =右上2针并1针
⊠ =左上2针并1针
◎ =空针
⊠ =扭针
Ⅴ =滑针
• =收针
× =短针
○ =锁针

线头留出10cm剪切
（在后面整理）

将用于连接肩部的线
头留出肩宽的4倍剪切

2行 缝线
2行
26行

14行   10针
26行
2行

缝线

1
21行

1
87行

第77行

7.5cm 15cm 7.5cm
（10针）（19针）（10针）
1.5cm （2行）

1.5cm
（2行）

2~1~3
2~2~1 减
1~3~1
△=2~1~1减

8.5cm
（14行）

17针空

返回编
6cm （26行）
减

2~5~1

2领子
1针上1针下 （14号针）

从后面
拾取21针

12cm（22行）
0.8cm（1行）

4行平
4~1~1
2~1~1
2~2~1
2~3~1

14行
空行

5
针
空行

5
针

42cm
（55针）

13cm
（21行）

9行平
12~1~1减

穿带孔
（前片）

43cm
（57针）

6行 重复
4行

5针

前后片
一行上一行下
（7mm针）

77行

拾取
35
针

前后拾取
46针

袖笼
短针

皮革带

10~1~4
8~1~5 减
7~1~1
行 针 遍

54.5cm
（87行）

59cm
（77针）针

拾取75针   短针

1.5cm
（2行）

77针

1

27

领部的独特设计使穿着更舒适
颜色看起来十分和谐
灰白色与米色的合股毛线

搭配相同颜色的毛线帽，更加保暖
大V领的无袖设计，时尚感更强

*Sweater Knitted by
Joint Multi Caddice

合股毛线编织的毛衣*

以红色为主的合股毛线

视觉上很抢眼，适合寒冷的季节

♥ 材料和工具

线

1　超极粗型灰白色与米色合股线620克

2　超极粗型黑白合股线，背心290克、帽子100克

3　红色与米色合股线480克

针

1　棒针8mm和7mm各2根

23　棒针8mm2根，7mm4根

♥ 尺　　寸

1　胸围88cm，衣长59cm，背肩宽34cm，袖长57cm

2　背心：胸围88cm，衣长56.5cm，背肩宽38cm

　　帽子：头围52cm，深29cm

3　胸围92cm，衣长56.5cm，背肩宽34cm，袖长59cm

♥ 织法顺序

绿色是1，红色是2，蓝色是3，黑色共用

♥ 织法说明

1.织后片

①一般的起针起45针47针49针，1针上1针下织4行12行12行。

②换织1行上1行下，不加减针织48行30行44行侧缝长。

③袖笼以收针A与2针并1针（右、左上2针并1针）减针。

④2、3减领围。袖笼39行25行织完后再织11针13针到左侧。剩下的针作空针，左侧2针并1针减针，肩部9针11针作空作。

⑤右侧中间的13针11针作收针，与左侧同样方法编织。

⑥1织18行袖笼，换1针上针1针下织8行，作收针（平收）。

♥♥ 织法说明

2.织前片

①与后片同样方法编织。

②2、3的领围，留出中间的1针分左右从右侧
起在1针内侧，2针并1针减针。

3.1和3织袖子

①与衣身同样方法起25针27针，1针上1针下
织14行16行。

②1行上1行下进行袖底缝的加针（空针加针）
同时编织。

③袖山以收针和2针并1针减针。

4.缝接肩部

前后片反面朝外合起来，以纵向连接缝合。

5.2织袖笼

从前后袖笼的半针内侧拾取72针，1针上1针下织
4行，作收针（平收）。

6.缝合腋下、袖底缝

衣身从下摆起，袖子从袖口起将半针内侧挑针结。

7.2和3织领子

从前后领围的半针内侧拾取针眼，2在前部中间
减针（中上3针并1针）同时织4行1针上1针下，
3织2行1行上1行下后平收。

8.1和3接上袖子

衣身与袖子反面朝外合起来，看着衣身一侧以引
拨缝合法连接。

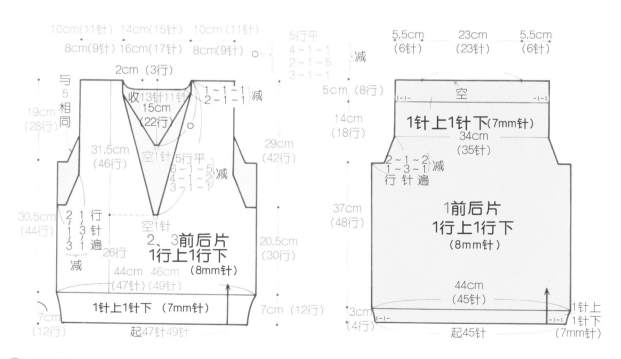

2、3前后片的织法图

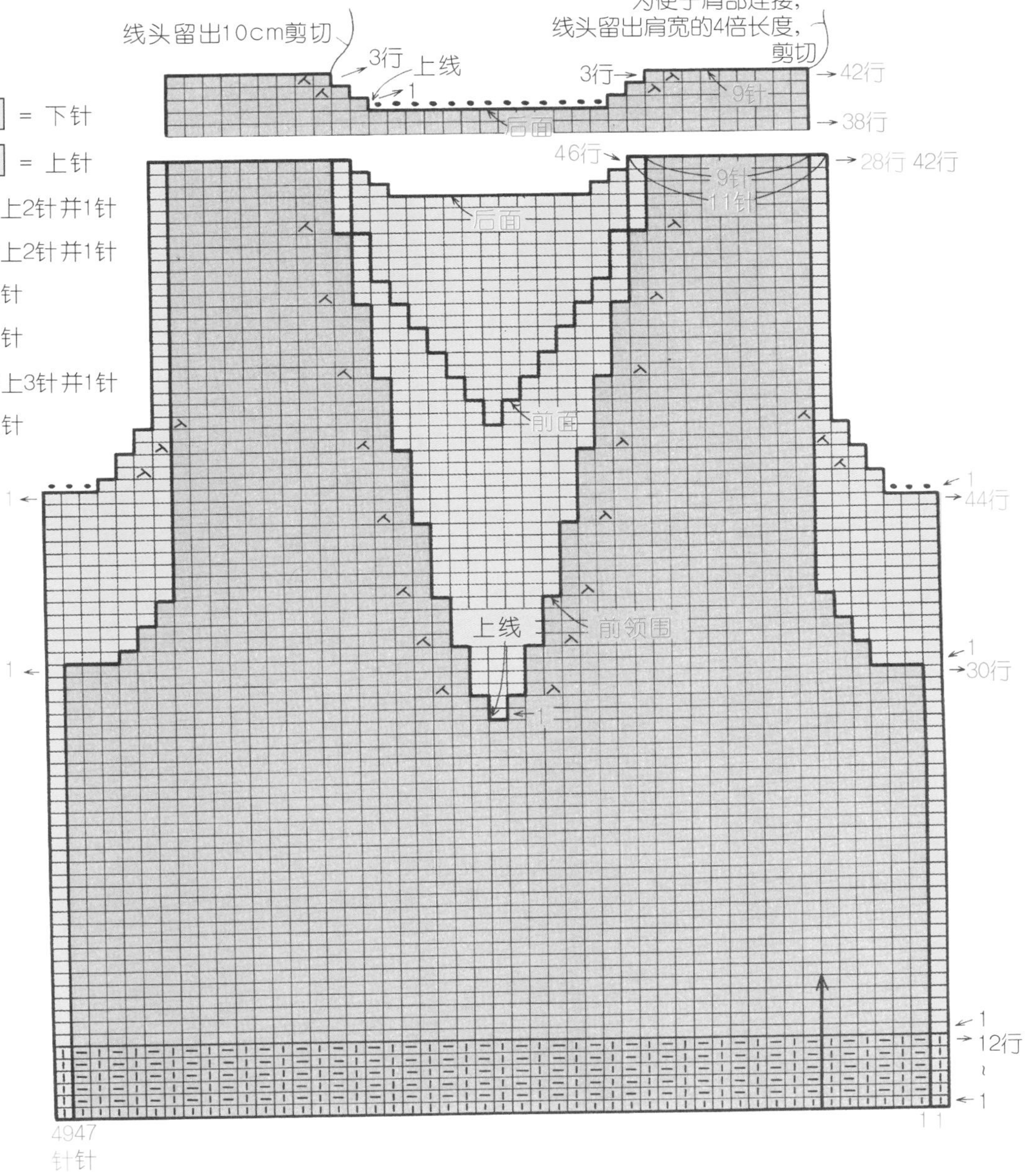

线头留出10cm剪切

为便于肩部连接，
线头留出肩宽的4倍长度，
剪切

3行 上线

3行

1

9针 → 42行

后面 → 38行

46行 → 28行 42行

后面 9针 11针

	•	I	= 下针
	•	—	= 上针
X			= 右上2针并1针
X			= 左上2针并1针
O			= 空针
Ω			= 扭针
木			= 中上3针并1针
•			= 收针

前面

1 ← → 44行

1 ← 1 → 30行

上线 前领围

前领围

1针

4947
针针

1 → 12行

1 ← 1

11

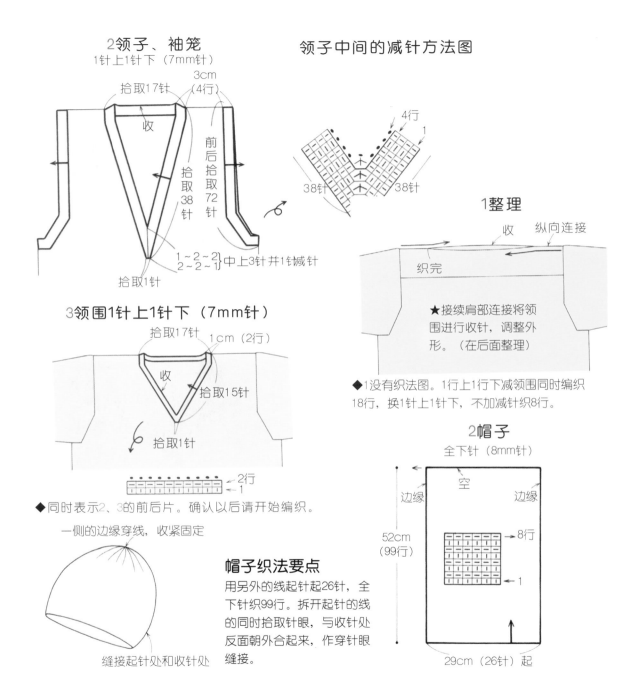

2领子、袖笼
1针上1针下（7mm针）

拾取17针

3cm（4行）

收

拾取38针

前后拾取72针

1~2~2
2~2~1

中上3针并1针减针

拾取1针

领子中间的减针方法图

4行

1

38针　38针

1整理

收

纵向连接

织完

织完

★接续肩部连接将领围进行收针，调整外形。（在后面整理）

◆1没有织法图。1行上1行下减领围同时编织18行，换1针上1针下，不加减织针8行。

3领围1针上1针下（7mm针）

拾取17针

1cm（2行）

收

拾取15针

拾取1针

2行

1

◆同时表示2、3的前后片。确认以后请开始编织。

一侧的边缘穿线，收紧固定

缝接起针处和收针处

帽子织法要点
用另外的线起针起26针，全下针织99行。拆开起针的线的同时拾取针眼，与收针处反面朝外合起来，作穿针眼缝接。

2帽子
全下针（8mm针）

空

边缘　边缘

52cm（99行）

8行

1

29cm（26针）起

袖子的织法图

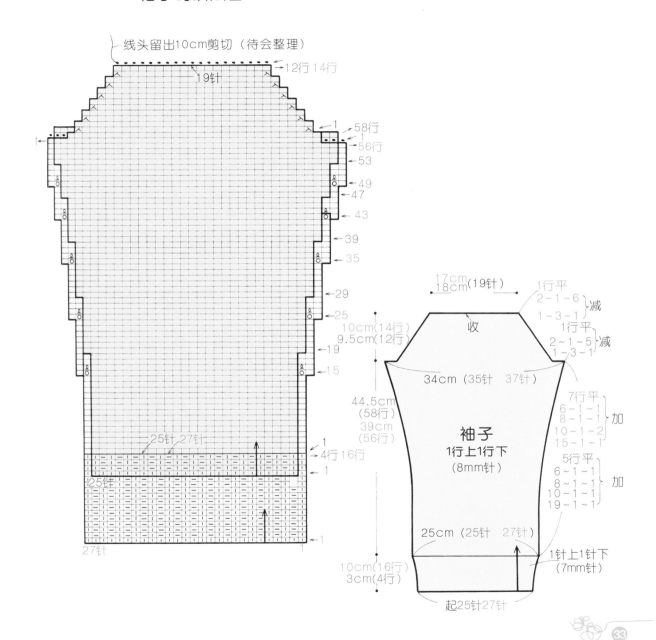

线头留出10cm剪切（待会整理）

12行 14行

19针

58行
56行
53
49
47
43
39
35
29
25
19
15

1

10cm(14行)
9.5cm(12行)

25针 27针

25针

27针

4行 16行

1

17cm(19针)
18cm(19针)

1行平
2-1-6 减
1-3-1

收

1行平
2-1-5 减
1-3-1

34cm（35针 37针）

7行平
6-1-1
8-1-1 加
10-1-2
15-1-1

44.5cm
(58行)
39cm
(56行)

袖子
1行上1行下
(8mm针)

5行平
6-1-1
8-1-1 加
10-1-1
19-1-1

25cm（25针 27针）

1针上1针下
(7mm针)

10cm(16行)
3cm(4行)

起25针27针

使用相同的毛线，编织披肩和小宠物的保暖衣物，在这个冬天，让你的宠物和你一同感受温暖

増加华丽感 用长长的流苏来装饰 手感柔软的材质

Warm Amice

❀ 保暖披肩

❤❤ **材料和工具**

线

5 超极粗型炭灰色手编织线300克

4 超极粗型红、粉、浅粉红的混合手编织线无袖斗篷300克

2 超极粗型红、粉、浅粉红的混合手编织线手袋160克

针

2 4 棒针8mm4根，钩针8/0号

5 棒针15号4根

❤❤ **辅助材料**

2 手袋里布30×54cm，直径1.4cm的按钮1对，手袋底用芯材8×20cm

❤❤ **尺　　寸**

5 前片55cm

2 手袋宽28cm、纵宽8cm、深21cm

4 无袖斗篷身长37cm

❤❤ **织法顺序**

蓝色是2、4，红色是5，黑色共用

❤❤ **织法说明**

4 5 **保暖披肩**

①普通起针法起针58针58针，4用单行弹性编织织8行。

②用弹性编织织1针后从两侧加针，一直织38行42行。

　　4一边加针一边用单针弹性编织继续织6行。

③5尾端要用流苏装饰，在领子部位穿上线。

2 **手袋**

①用普通起针法起针，织2个侧面起11针织手袋底部，用豆豆编织法，最后收线。

②侧面与底面缝合1针左右。

③用里布作成袋子大小，在袋口部预留1cm左右松口，放入提手和底部poly芯后缝合。

④在内侧缝上按钮。

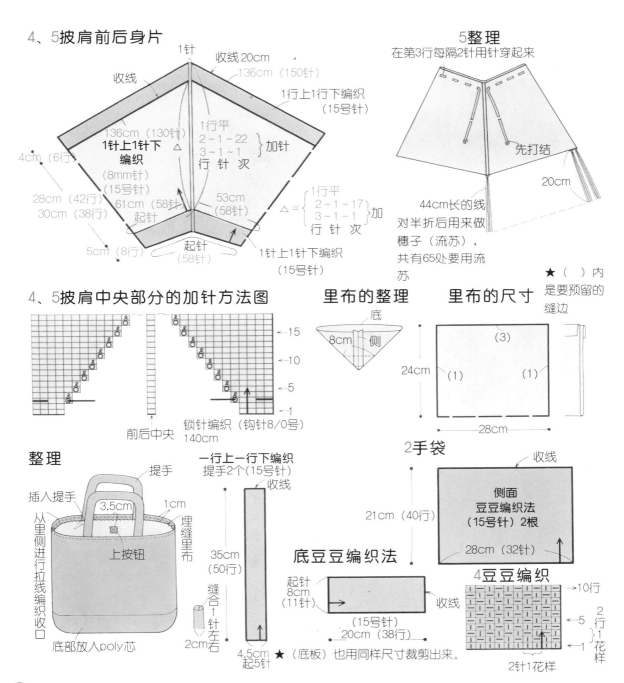

4、5披肩前后身片

1针
收线20cm
收线
136cm（150针）
1行上1行下编织
（15号针）

136cm（130针）
1行平
2～1～22
3～1～1
行 针 次
加针

1针上1针下
编织
（8mm针）
（15号针）

4cm（6行）

28cm（42行）
30cm（38行）
起针
61cm（58针）
53cm
（58针）
1行平
2～1～17
3～1～1
行 针 次
加
△=

5cm（8行）
起针
（58针）
1针上1针下编织
（15号针）

5整理
在第3行每隔2针用针穿起来

先打结

20cm

44cm长的线
对半折后用来做
穗子（流苏），
共有65处要用流
苏

★（）内
是要预留的
缝边

4、5披肩中央部分的加针方法图

-15
-10
-5
-1

前后中央
锁针编织（钩针8/0号）
140cm

里布的整理
底
8cm 侧

里布的尺寸
（3）
24cm
（1）
（1）
28cm

整理

插入提手
提手
3.5cm
1cm
上按钮
埋缝里布
从里侧进行拉线编织收口
底部放入poly芯

一行上一行下编织
提手2个（15号针）
收线
35cm
（50行）
缝合1针左右
2cm左右
4.5cm
起5针

2手袋
收线
侧面
豆豆编织法
（15号针）2根
21cm（40行）
28cm（32针）

底豆豆编织法
起针
8cm
（11针）
收线
（15号针）
20cm（38行）
★（底板）也用同样尺寸裁剪出来。

4豆豆编织
→10行
←5
←1
2行1花样
2针1花样

13 宠物毛线衣

♥♥ 材料和工具

线

1 超极粗型灰白色加黑点印花毛线130克

3 超极粗型红、粉红、淡粉红色混合手编织线130克

针

1 棒针8mm4根

3 棒针15号4根

♥♥ 尺　寸

1 胸围42cm，衣长31.5cm

3 胸围42cm，衣长29cm

♥♥ 织法顺序

红色是1，蓝色是3，黑色共用

♥♥ 织法说明

①普通起针方法起一针松弛的针，编织
　1行上1行下。

②左右两端第2针，加1针空针。到此背部
　中间完成。从领围起分4片钩，肩部作空
　针处理。

③将肩部反面朝外合起来拉线拼接，背部
　中间半针内侧挑针结。

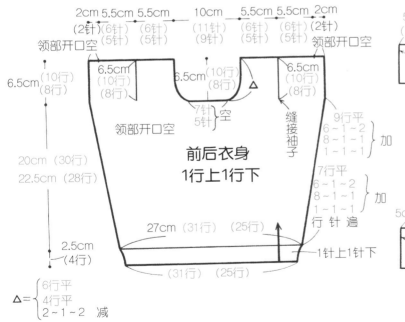

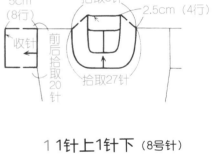

领口、袖子

3 1针上1针下（15号针）

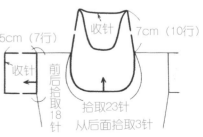

1 1针上1针下（8号针）

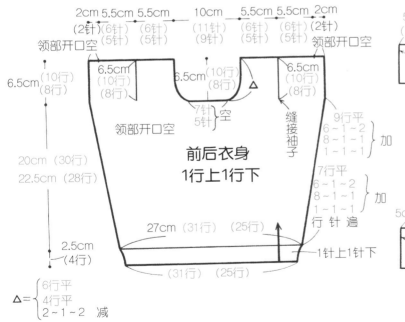

Sweat and Lovely Girl Dress

O3.甜美可爱女装

细节处的卷边设计，
短款的衣身，俏皮的接缝款式，
在每一个细微之处彰显甜美可爱的气质。

1

中袖的设计，简单的编织方法，温和的暖色调，展现俏皮个性

2

宽大的领子，长方形的衣身和袖子，使用特殊的毛线编织，编织效果十分休闲

材料和工具

线

极粗型手工编织线

1 橙色190克

2 白色570克

针

1 棒针13和15号各2根

2 棒针8mm和10mm各2根

尺　　寸

1 胸围82cm，衣长50.5cm，背肩宽35cm，
袖长30.5cm

2 胸围92cm，衣长54cm，背肩宽37cm，
袖长42cm

织法顺序

红色是**1**，蓝色是**2**，黑色共用

织法说明

1.编织前后片

①普通起针方式起54针42针，织9行全下针。

②不加减针1行上1行下织50行42行。

③腋下4针收针，不加减针织24行16行，再以全
下针织8行。分为肩部8针7针和领部开口30针
20针。

2.织袖子

①普通起针方式起46针32针，用全下针织9行。

②不加减针1行上1行下织48行48行，46针32针
收。

3.缝接肩部

前后片反面朝外合起来，用剩下的线纵向缝
接，领部开口60针40针收。

4.接上袖子

衣身与袖子正面朝外靠拢，缝接针和行。

5.缝合腋下、袖底缝

①袖子和袖口的全下针织完后挑针结线。

②衣身同袖子的合印处相合，缝接针和行。

1、2整理

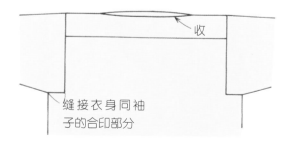

收

缝接衣身同袖
子的合印部分

全下针

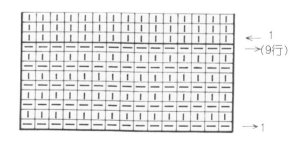

← 1
→ (9行)

→ 1

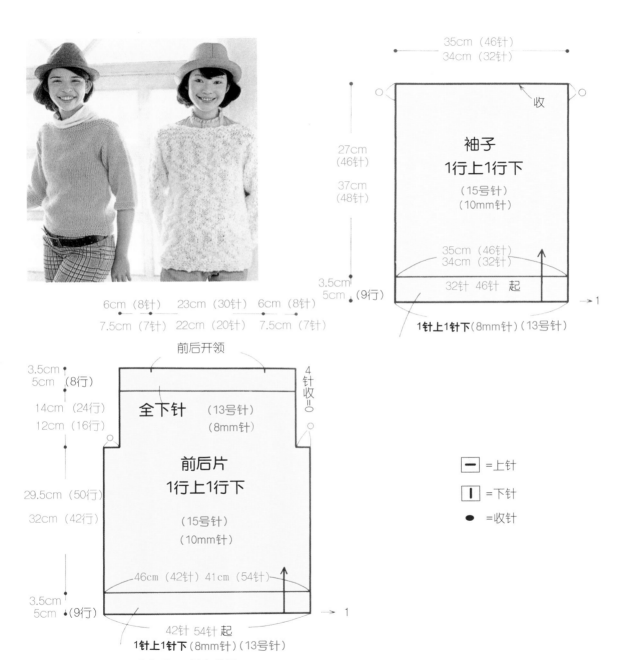

35cm（46针）
34cm（32针）

收

袖子
1行上1行下

（15号针）
（10mm针）

27cm
（46针）

37cm
（48针）

35cm（46针）
34cm（32针）

3.5cm
5cm（9行）

32针 46针 起

→ 1

1针上1针下（8mm针）（13号针）

6cm（8针） 23cm（30针） 6cm（8针）
7.5cm（7针） 22cm（20针） 7.5cm（7针）

前后开领

3.5cm
5cm（8行）

4针收＝0

全下针 （13号针）
（8mm针）

14cm（24行）
12cm（16行）

前后片
1行上1行下

（15号针）
（10mm针）

29.5cm（50行）
32cm（42行）

46cm（42针） 41cm（54针）

3.5cm
5cm（9行）

42针 54针 起

→ 1

1针上1针下（8mm针）（13号针）

■ =上针

| =下针

● =收针

■**文字中红色是1，蓝色是2，黑色共用**

41

卷领毛衣

Roll Collar Sweater

白色的无袖针织毛衣，在冬天是时尚而大胆的款式搭配保暖手臂套，让你这个冬天更温暖

❋2❋

时尚前卫的翻领毛衣在上臂处设计成露臂款式在不经意之间展现你的性感一面

使用灰色的混色毛线 即使用简单的编织方法 也让你的毛衣不单调

线

极粗手工编织线

1️⃣ 灰白色330克

2️⃣ 驼色600克

3️⃣ 米色、茶色、灰色三色混色线420克

针

1️⃣2️⃣3️⃣ 棒针8mm、7mm各4根

2️⃣ 钩针8/0号

♥♥ 尺　　寸

1️⃣ 胸围90cm、衣长49.5cm、背肩宽30cm、袖长43.5cm

2️⃣ 胸围90cm、衣长52.5cm、背肩宽30cm、袖长42cm

3️⃣ 胸围90cm、衣长49.5cm、背肩宽30cm、袖长11.5cm

♥♥ 织法顺序

红色是**1**，蓝色是**2**，绿色是**3**，黑色共用

♥♥ 织法说明

1.织后片

① 普通起针法起48针，1针上1针下起5行，1反面1行上1行下，2、3换为1行上1行下，将侧缝长不加减针织47行47行51行。

② 袖笼以收针A和2针并1针（右、左上2针并1针）减针。

③ 减领围。袖笼织25行，织至左侧第8针。剩余的针作空针，左侧2针并1针减针，肩部6针作空针。

④ 右侧平收中间的16针，与左侧同样方法编织。

前后片的织法图

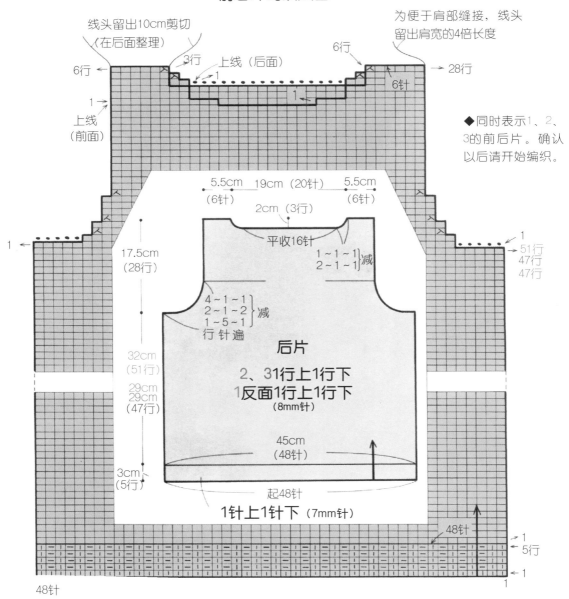

线头留出10cm剪切
（在后面整理）

为便于肩部缝接，线头
留出肩宽的4倍长度

6行
3行
上线（后面）
6行
28行

6行
1
1
上线
（前面）
6针

◆同时表示1、2、
3的前后片。确认
以后请开始编织。

5.5cm
（6针）
19cm（20针）
5.5cm
（6针）

2cm（3行）

平收16针
1~1~1
2~1~1 减

17.5cm
（28行）

1
51行
47行
47行

4~1~1
2~1~2 减
1~5~1
行 针 遍

后片
2、31行上1行下
1反面1行上1行下
（8mm针）

32cm
（51行）

29cm
29cm
（47行）

45cm
（48针）

3cm
（5行）

起48针

1针上1针下（7mm针）

48针

1
5行
1

48针

■文字中红色是1，蓝色是2，绿色是3，黑色共用

❤ 织法说明

2.织前片

与后片同样方法编织。左领围从袖笼一侧上线织，中间的针作空针处理。

3.织袖子

① 与衣身一样起针起22针33针32针，2作花样编织，1、3以1针上1针下和1行上1行下编织。

② 1、2在袖底缝处加针（空针的加针）的同时编织。

③ 袖山最后以收针固定。

4.缝接肩部

前后片反面朝外合起来，以引拔连接缝合。

5.织领子

从前后领围拾取42针45针42针，1织1行上1行下和1针上1针下，2是花样编织，3是1行上1行下织16行24行12行形成环，作收针。

6.缝合腋下，袖底缝

衣身从下摆开始，袖子从袖口开始挑针结。

7.接上袖子

① 2到前后上袖止位每一行以引拔针整理边缘半针，将剩余部分与袖子×印以暗针连接缝合。

② 3衣身的腋下处每5针留针，与袖子反面朝外合起来，看着衣身一侧以引拔缝合法接上。

1领子（7mm针）

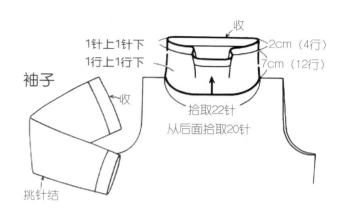

1针上1针下
1行上1行下
收
2cm（4行）
7cm（12行）
袖子
收
拾取22针
从后面拾取20针
挑针结

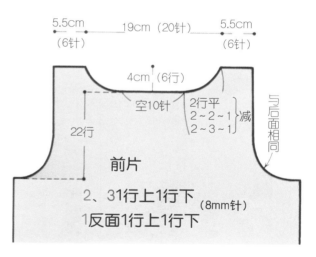

5.5cm（6针）　19cm（20针）　5.5cm（6针）
4cm（6行）
空10针
2行平
2~2~1
2~3~1
减
与后面相同
22行
前片
2、31行上1行下（8mm针）
1反面1行上1行下

★到领围为止都与后面相同

□・|=下针

□・−=上针

入=右上2针并1针

△=右上2针并1针

人=左上2针并1针

人=左上2针并1针（上针）

○=下针

●=收针

Ω=扭针

Ω=扭针（上针）

袖子的织法图

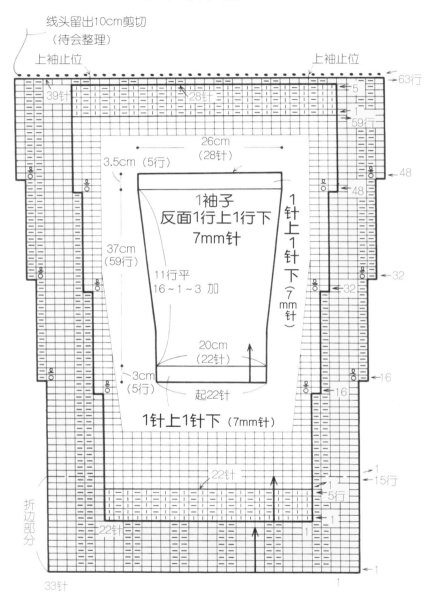

线头留出10cm剪切
（待会整理）

上袖止位

上袖止位

39针

28针

63行

5

1

59行

26cm
（28针）

3.5cm（5行）

48

48

1袖子
反面1行上1行下
7mm针

1针上1针下（7mm针）

37cm
（59行）

11行平
16～1～3 加

32

32

20cm
（22针）

16

3cm
（5行）

起22针

16

1针上1针下（7mm针）

折边部分

22针

1

15行

5行

1

22针

1

33针

1

1

◆同时表示1、2的袖子。确认好以后请开始编织。

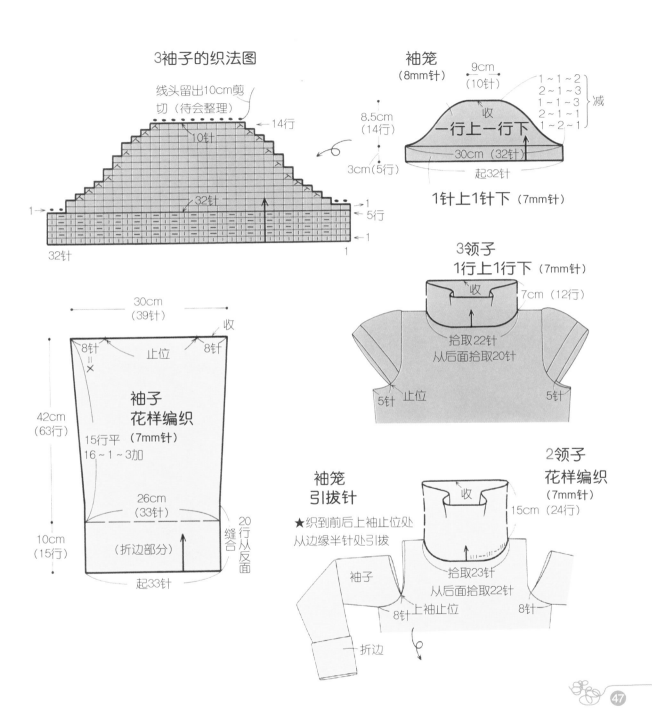

3袖子的织法图

线头留出10cm剪切（待会整理）

14行

10针

32针

32针

1
5行
1
1

袖笼
（8mm针）

9cm
（10针）

1～1～2
2～1～3
1～1～3
2～1～1
1～2～1
减

收

一行上一行下

30cm（32针）

起32针

8.5cm
（14行）

3cm（5行）

1针上1针下（7mm针）

30cm
（39针）

收

8针
止位
8针

袖子
花样编织

15行平（7mm针）
16～1～3加

42cm
（63行）

26cm
（33针）

20行从反面

缝合

10cm
（15行）

（折边部分）

起33针

3领子
1行上1行下（7mm针）

收

7cm（12行）

拾取22针
从后面拾取20针

5针
止位

5针

2领子
花样编织
（7mm针）

袖笼
引拔针

★织到前后上袖止位处
从边缘半针处引拔

收

15cm（24行）

袖子

折边

拾取23针
从后面拾取22针

8针
上袖止位

8针

2

1

3

毛线编织的材质增添了调皮的感觉
迷你裙永远是性感的象征
装饰感很强
有修饰腿部线条的功能

黑色披肩既时尚又保暖
这个冬天你也应该拥有一件
经典的黑色搭配任何颜色都十分保险
灰色的过膝长裙上装饰黑色的毛边
罢说了单一颜色的沉闷

❤️ 材料和工具

线

1 印花极粗型茶色系混色毛线210克，
  极粗型暗棕色毛线15克

2 马海毛中细型毛线黑色150克

3 极粗灰色毛线260克，超极粗型黑色毛
  线35克

针

1 3 钩针8/0号

2 钩针7/0号

❤️ 辅助材料

直径1.8cm的钮扣 1个，直径2.5cm钮扣
5个，小钮扣5个

❤️ 尺　　寸

1 腰身63cm，长39.8cm

2 长35cm

3 腰身60cm，长56.3cm

❤️ 织法顺序

红色是1，蓝色是2，绿色是3，黑色共用

❤️ 织法说明

1.钩织裁片

缓缓锁针起针钩45针45针65针，长针、
中长针、短针连续钩9行。同样方法钩5片
9片7片裁片。

2.缝接裁片

1、3留出腰身侧面的开口，以短针连接。
2用短针连接10片裁片。

3.钩织腰身

1、3前后拾取针，钩短针，在腰身上制作
钮扣环，缀上钮扣。

4.钩织下摆、前襟、领围

2以短针在转角位加针的同时连续钩织下
摆、前襟、领围。前门襟打开钮扣眼织，
将钮扣缀于前里襟。

衣身、裙子（裁片1片）

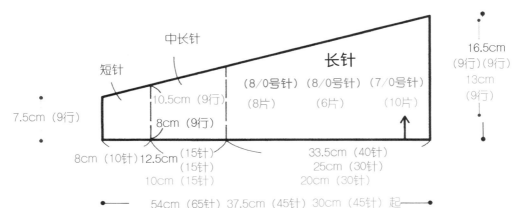

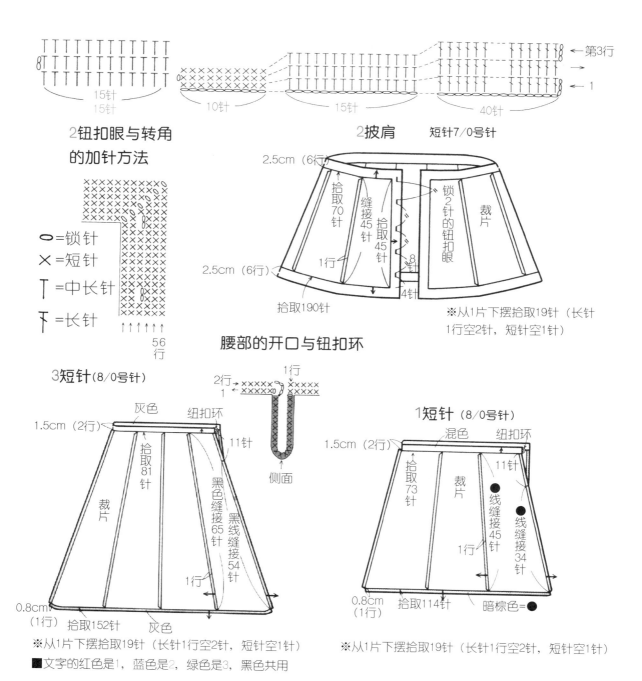

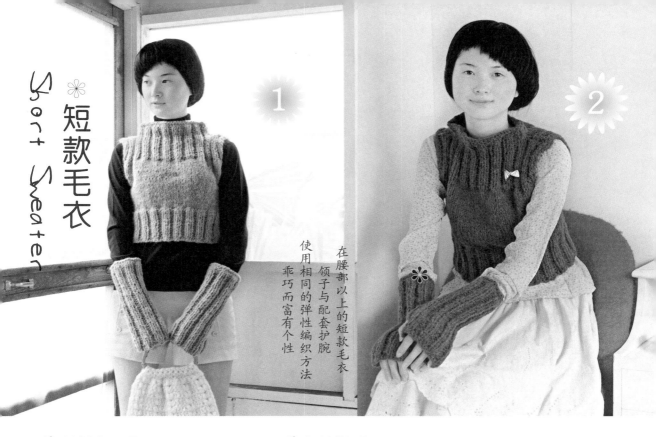

短款毛衣

Short Sweater

在腰部以上的短款毛衣

领子与配套护腕

使用相同的弹性编织方法

乖巧而富有个性

♥ 材料和工具

线

羊驼绒（极粗型）

1 灰色265克

2 深红265克

短背心185克，护腕80克

针

棒针7mm4根，钩针7mm

♥ 尺　　寸

短背心：胸围83cm、衣长38cm

护腕：长26cm

♥ 织法说明

短背心

①从下摆起用手指挂线起针，作品正面第1行织反针。

②参照图解按"2针上1针下→1行上1行下→2针上2针下"织前后片。

③袖口开口止位处留下线迹。

④织完肩部，留出用于肩部连接的线，剪线。

⑤从领子起缝线拾取。此时，扭住肩部与领子之间的搭线在领子两侧分别加上1针。

⑥从衣身接着以2针上2针下织7行领子。

⑦从反面以正针收针。

⑧肩部将前后片反面朝外合起来，用钩针引拔连接。

⑨领子、袖底缝挑针结线。

护腕

①留出20cm缝线部分，用手指挂线起针。第1行反针用于作品正面，第3行起钩2针上2针下。

②从反面以正针收针，留出约50cm缝线部分，剪线。

③留出穿拇指处，挑针结线。

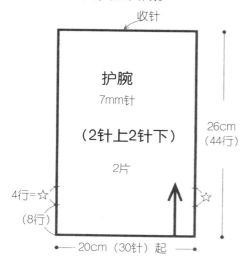

收针

护腕
7mm针

（2针上2针下）

2片

26cm
（44行）

4行＝☆
（8行）

20cm（30针）起

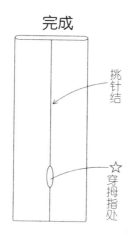

完成

挑针结

☆穿拇指处

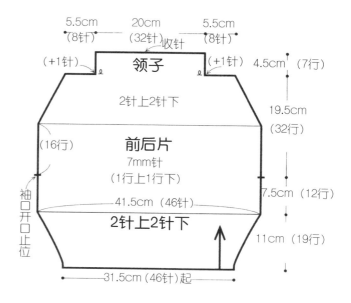

5.5cm（8针）　20cm（32针）收针　5.5cm（8针）

（+1针）　领子　（+1针）　4.5cm（7行）

2针上2针下

（16行）　前后片　19.5cm（32行）
7mm针
（1行上1行下）

袖口开口止位

41.5cm（46针）

7.5cm（12行）

2针上2针下

31.5cm（46针）起　11cm（19行）

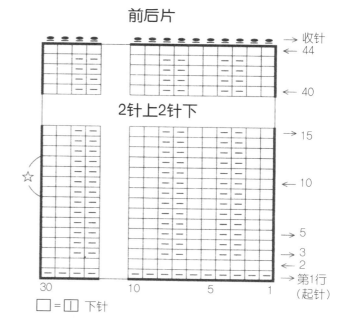

前后片

收针
← 44
← 40

2针上2针下

→ 15
← 10
→ 5
→ 3
← 2
→第1行（起针）

30　10　5　1

□＝|_| 下针

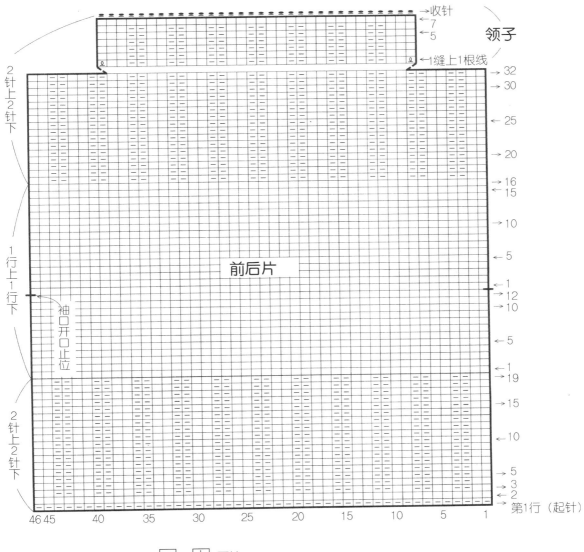

领子

→收针
→7
→5

→1缝上1根线

2针上2针下

1行上1行下

袖口开口止位

2针上2针下

前后片

→32
→30
←25
→20
←16
←15
←10
←5
←1
→12
→10
←5
←1
→19
←15
→10
→5
→3
←2
→第1行（起针）

46 45   40   35   30   25   20   15   10   5   1

□ = □ 下针

Commensurate Love Theme Dress

01.登对情侣装 ♥

情侣装是一种张扬的爱的宣言，
用相同的颜色或细微的图案搭配，
让两个人的服装看起来和谐而统一，
默默地表达爱意。

Classical Line Love
*Theme Dress

经典条纹情侣装

经典的条纹图案
使用和谐的红黑搭配
在这个的秋冬季节
甜蜜爱情迷人方式

材料和工具

线

1 极粗黑灰色段染毛线740克

2 极粗橙米色段染毛线540克

针

1 棒针8mm针2根，15号4根

2 棒针8mm针2根，15号4根

尺　寸

1 胸围110cm，衣长66.5cm，背肩宽47cm，袖长53cm

2 胸围94cm，衣长48cm，背肩宽39cm，袖长49.5cm

织法顺序

蓝色是**1**，红色是**2**，黑色共用

织法说明

1.织后片

①1针上1针下起57针49针，织完第1行。

②从第2行起在1针上1针下中，放置9针花样编织织14行4行。

③换织1行上1行下，竖着穿过9针的花样，不加减侧缝长织54行44行。

④左右袖笼以收针A减4针，不加减针织至领围。

⑤分成左右，将领围减针（右、左上2针并1针）。从线的左侧减针至边端，右侧在中央针处收针作减针。肩部针作平收。

2.织前片

与后片同样方法编织。

3.织袖子

①与衣身同样方法起28针22针，1针上1针下织12行10行。

②袖底缝以1行上1行下加针（空针的加针）同时织76行72行，全部针作收针处理。

4.缝接肩部，织领子

①前后片反面朝外合起来，用剩余的线头将两肩纵向缝接。

②用4根棒针从前后领围拾取50针，1针上1针下织5行16行，形成环，进行收针。

5.接上袖子

①衣身与袖子反面朝外合起来，用扣针缝合肩线与袖中央。

②将袖子置于面前，以针与行的缝接将袖子接上。

6.缝合腋下、袖底缝

从下摆与袖口的1针上1针下挑针结。最后将衣身的袖笼与袖子合印处缝接。

7.整理线头

线头全部从反面拉出，整理毛线避免从正面露出。

前后片的织法图

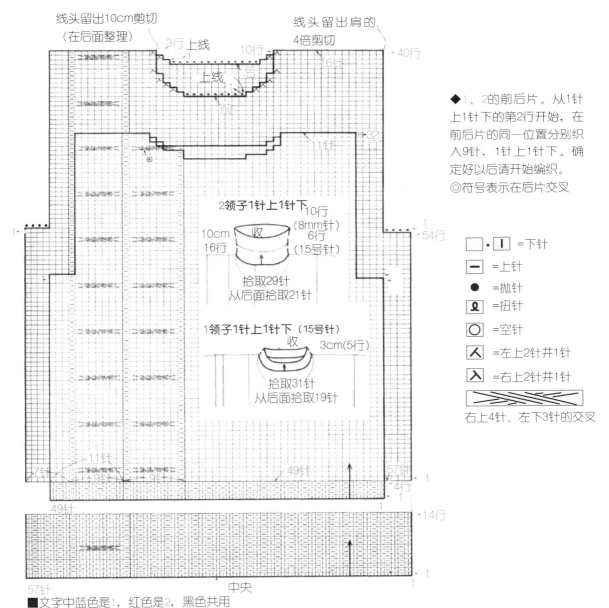

线头留出10cm剪切
（在后面整理）

线头留出肩的
4倍剪切

3行上线

10行

上线

后

前

◆1、2的前后片。从1针
上1针下的第2行开始，在
前后片的同一位置分别织
入9针，1针上1针下。确
定好以后请开始编织。
◎符号表示在后片交叉

2领子1针上1针下 10行
（8mm针）
6行
（15号针）

10cm
16行

收

拾取29针
从后面拾取21针

1领子1针上1针下 （15号针）
收
3cm(5行)

拾取31针
从后面拾取19针

11针
49针

57针
57针
14行

49针

57针

中央

■文字中蓝色是1，红色是2，黑色共用

	=下针
—	=上针
●	=抛针
⚇	=扭针
○	=空针
人	=左上2针并1针
入	=右上2针并1针

右上4针、左下3针的交叉

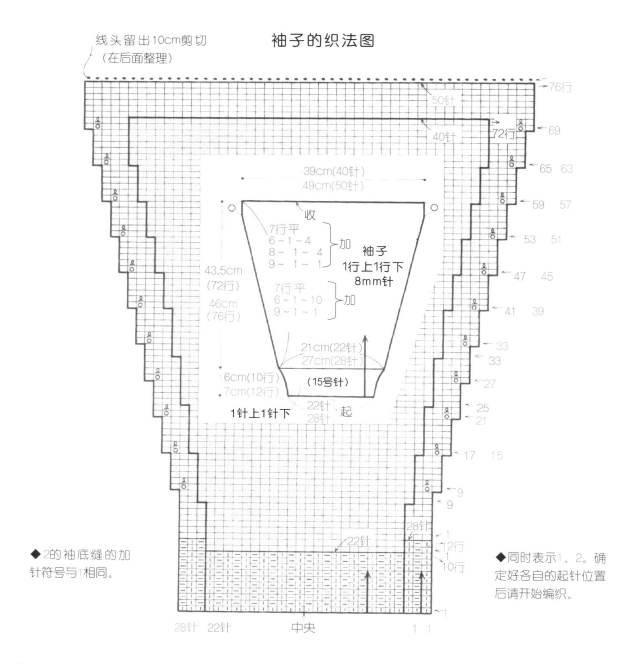

袖子的织法图

线头留出10cm剪切
（在后面整理）

——76行

50针

40针

72行 —— 69

—— 65 63

39cm（40针）
49cm（50针）

—— 59 57

收

7行平
6～1～4
8～1～4   加
9～1～1

—— 53 51

袖子
1行上1行下
8mm针

43.5cm
（72行）

46cm
（76行）

7行平
6～1～10   加
9～1～1

—— 47 45

—— 41 39

—— 33

—— 33

21cm（22针）
27cm（28针）

—— 27

6cm（10行）
7cm（12行）

（15号针）

—— 25
—— 21

1针上1针下

22针 起
28针

◆2的袖底缝的加
针符号与1相同。

—— 17 15

—— 9

—— 9

28针

1

12行

10行

22针

1
1

◆同时表示1、2。确
定好各自的起针位置
后请开始编织。

28针 22针   中央   1 1

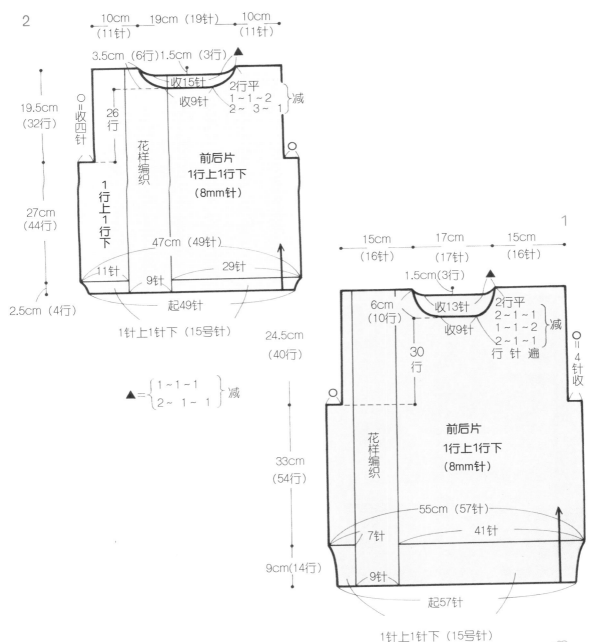

2

10cm（11针）　19cm（19针）　10cm（11针）

3.5cm（6行）1.5cm（3行）▲

19.5cm（32行）

收四针＝○

收15针

2行平
1～1～2
2～3～1 } 减

收9针

26行

花样编织

前后片
1行上1行下
（8mm针）

27cm（44行）

1行上1行下

47cm（49针）

11针　9针　29针

起49针

1针上1针下（15号针）

2.5cm（4行）

24.5cm（40行）

▲＝{ 1～1～1
2～1～1 } 减

1

15cm（16针）　17cm（17针）　15cm（16针）

1.5cm（3行）▲

6cm（10行）

收13针

2行平
2～1～1
1～1～2
2～1～1 } 减
行针遍

收9针

30行

○＝4针收

花样编织

前后片
1行上1行下
（8mm针）

33cm（54行）

55cm（57针）

7针　41针

起57针

9针

9cm（14行）

1针上1针下（15号针）

59

Pattern Match Love Theme Dress

✽ 图案搭配情侣装

抽象的图案,领口的细节变化
走在冬日的街头,是含蓄的情侣装范例 ✽

❤️❤ 材料和工具

线

1. 米色系混色线，背心360克，帽子80克

   深褐色系混色线，背心80克，帽子20克

   黑色系混色线，背心40克

2. 深褐色系混色线500克

   米色系混色线、黑色系混色线各40克

针

1 2 棒针15号2根，棒针13号4根

2 钩针8/0号

❤️❤ 尺　　寸

1 胸围88cm、衣长51.5cm、背肩宽45cm

2 胸围102cm、衣长62.5cm、背肩宽43cm

1 帽子头围50cm、深24.5cm

❤️❤ 织法顺序

红色是**1**，蓝色是**2**，黑色共用

❤️❤ 织法说明

1.织后片

① 一般的起针方法起62针72针，1针上1针下织6行14行。

② 1是1行上1行下织10行，下摆放入10行多色花样编织（将线搭入反面），不加减针织侧缝长和袖口。分成肩部17针与领部开口28针作空针处理。

③ 在左右开口止位处留下线印记号。

④ 2以1行上1行下将侧缝长不加减针织50行，袖笼则以收针和2针并1针（右上左上2针并1针）减针。

⑤ 放入10行多色花样编织，减袖笼。从线头

所在右侧2针并1针作减针，肩部空针。左侧中央针作收针处理，与右侧同样方法编织。

2.织前片

与后面同样方法起针编织。**2**从领围左侧的袖笼一边上线，中央10针作空针，领围减针。

3.缝接肩部、织领子

① 肩部与大身反面朝外合起来，引拔缝接。

② 从前后领围用4根棒针拾取指定针数，1织1行1下，2用1针上1针下织成环形收针。

4.缝合腋下

从下摆侧面挑针结线，拼合。

5织袖笼

1织短针1行，2用1针上1针下织5行作环，收针。

6.1行上1行下刺绣

在多色花样上作1行上1行下刺绣，整理线头。

1前后片的织法图

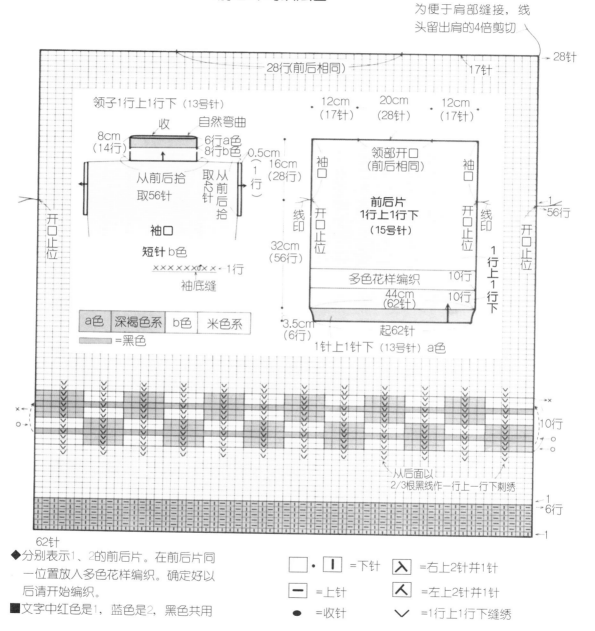

为便于肩部缝接，线头留出肩的4倍剪切

28行(前后相同)　　　17针　　　28针

领子1行上1行下 (13号针)

收　　　自然弯曲

12cm　　20cm　　12cm
(17针)　(28针)　(17针)

8cm
(14行)

6行a色
8行b色

0.5cm
(1行)

16cm
(28行)

袖口　领部开口
(前后相同)

从前后拾　取56针

取42针

从前后拾

前后片
1行上1行下
(15号针)

开口止位

线印

32cm
(56行)

袖口

短针b色

××××××○×× - 1行

袖底缝

多色花样编织
44cm
(62针)

10行
10行

1行上1行下

3.5cm
(6行)

起62针

1针上1针下 (13号针) a色

开口止位

1
56行

1
6行

1行上1行下

| a色 | 深褐色系 | b色 | 米色系 |

　　=黑色

从后面以2/3根黑线作一行上一行下刺绣

62针

◆分别表示1、2的前后片。在前后片同一位置放入多色花样编织。确定好以后请开始编织。

■文字中红色是1，蓝色是2，黑色共用

□	・	I	=下针	入 =右上2针并1针
一	=上针			人 =左上2针并1针
●	=收针			∨ =1行上1行下缝绣

1帽子的编织方法图

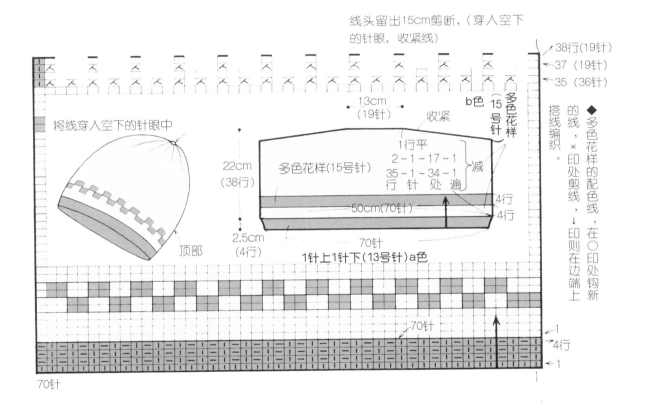

线头留出15cm剪断，（穿入空下的针眼，收紧线）

38行（19针）
37（19针）
35（36针）

将线穿入空下的针眼中

13cm
（19针）

收紧

b色

多色花样（15号针）

搭线编织。

22cm
（38行）

多色花样(15号针)

1行平
2~1~17~1
35~1~34~1
行 针 处 遍

减

4行
4行

◆多色花样的配色线，在○印处钩新的线，×印处剪线，↓印则在边端上

2.5cm
（4行）

50cm（70针）

顶部

70针
1针上1针下（13号针）a色

70针

70针

1
4行
1

70针

1

♥♥ 帽子织法说明

1. 普通起针方式织70针，1针上1针下织4行。

2. 将针穿入4行多色花样，参照编织方法图将顶部减针。

3. 将线穿入空下的针眼中收紧，侧面挑针结线拼合。

2前后片的编织方法图

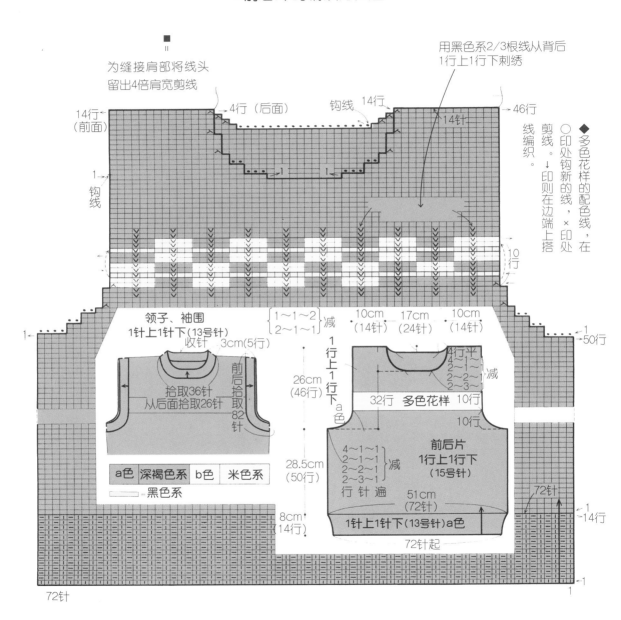

■
=

为缝接肩部将线头
留出4倍肩宽剪线

用黑色系2/3根线从背后
1行上1行下刺绣

14行
(前面)

4行（后面）

钩线

14行

14针

46行

1
钩线

◆多色花样的配色线，在
○印处钩新的线，×印处
剪线。↓印则在边端上搭
线编织。

10行

1

领子、袖围
1针上1针下(13号针)
收针 3cm(5行)

{1～1～2
{2～1～1} 减

10cm
(14针)

17cm
(24针)

10cm
(14针)

1
50行

1
行
上
1
行
下
a
色

拾取36针
从后面拾取26针

前后拾取82针

26cm
(46行)

4行平
4～1～1
2～1～1
2～2～3～1} 减

32行 多色花样 10行

10行

a色 深褐色系 b色 米色系

黑色系

28.5cm
(50行)

4～1～1
2～1～1
2～2～1
2～3～1} 减

行 针 遍

前后片
1行上1行下
(15号针)

8cm
(14行)

51cm
(72针)

72针

1
14行

1针上1针下(13号针)a色

72针起

72针

1

72针

1

Characteristic Small Coat

O5. 个性小外套

抽带设计、网眼编织方法、
超短款式设计，
每一件都突破了传统的编织方式，
个性十足，
穿上去会成为人群的亮点。

1

袖口处的时尚设计，让你在这个季节更明亮
属于春天的亮丽绿色，让你感受到春天的气息

Belt Drape Sweater

❀ 抽带装饰毛衣

材料和工具

线

1. 粗型嫩草色毛线220克
2. 并太型红、黄、橙色、灰色、茶色系的段染线 270克
3. 黑色毛线300克

针

1. 棒针9号2根，7号4根，钩针5/0号
2. 棒针9号、8号、7号各2根，6号4根，钩针5/0号
3. 棒针9号、8号2根，7号4根

❤️ 辅助材料

1. 直径15mm的本色木头珠子4个
3. 2cm宽的缎带4.5cm

❤️ 尺　寸

1. 胸围104cm，衣长48cm，1/2肩宽+袖长43cm
2. 胸围104cm，衣长60cm，1/2肩宽+袖长76cm
3. 胸围104cm，衣长53.5cm，1/2肩宽+袖长76cm

❤️ 织法顺序

红色是**1**，绿色是**2**，蓝色是**3**，黑色共用

❤️ 织法说明

1.织后片

① 以一般的起针起74针，1从下摆，2从下摆，3从下摆起在20行上织1针上1针下，织62行 88行74行。

② 将接袖线以收针A和2针并1针（右、左上2针并1针）减针。

③ 最后一针作空针处理。

2.织前片

与后片同样方法编织。

3.织袖子（对称2片）

① 与衣身同样方法织起针。

② 袖底在同一行的左右加针（针加针）并同时织88行88行。1不加减织16行。

③ 袖山与衣身同样方法织36行，织8行引拔针。

4.缝合腋下、袖底、接袖线

从下摆、袖底分别以暗针缝合，对照衣身与袖子的接袖线以暗针缝合。

5.织领子

从前后领围全部以2针并1针拾取74针。1、2以
1针上1针下织10行16行，3以1针上1针下织7行，
1行上1行下织13行形成环，织抛针。

6.整理

①1用引拔针织2根带子，穿入袖子以后在头端穿

上木头珠子系上，再将流苏缀结于头端。

②2用引拔针织3根带子，穿于腰部及袖子1针
上1针下的第7行，将流苏缀结于头端。

③3将缎带穿于前后片及袖子。

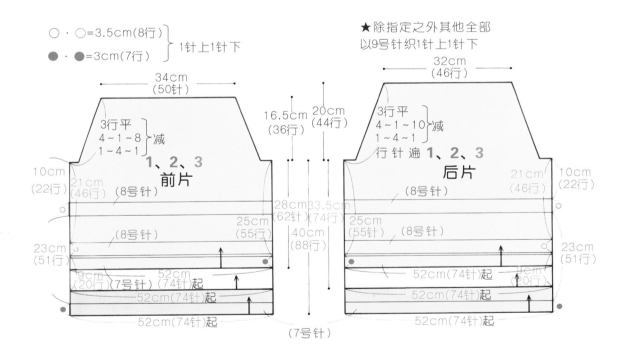

○·○=3.5cm(8行) ⎫
　　　　　　　 ⎬ 1针上1针下
●·●=3cm(7行) ⎭

★除指定之外其他全部
以9号针织1针上1针下

34cm
(50针)

3行平
4~1~8 ⎫减
1~4~1

1、2、3
前片
(8号针)

10cm
(22行)

21cm
(46行)

(8号针)

25cm
(55行)

23cm
(51行)

9cm
(20行)(7号针)(74针)起

52cm
(74针)起

52cm(74针)起

52cm(74针)起

16.5cm
(36行)

20cm
(44行)

28cm 33.5cm
(62针)(74针)

40cm
(88行)

(7号针)

32cm
(46行)

3行平
4~1~10 ⎫减
1~4~1

行针遍 **1、2、3**
后片
(8号针)

21cm
(46行)

10cm
(22行)

25cm
(55行)

(8号针)

23cm
(51行)

9cm
(20行)

52cm(74针)起

52cm(74针)起

52cm(74针)起

◆1、2、3的前后片。织于侧缝长1针1针下是1、3一处，2两处（含下摆松紧针）。确定好以后请开始编织。

◆1、2穿入了后将木头珠子和流苏缀于指定位置。

1前后片的织法图

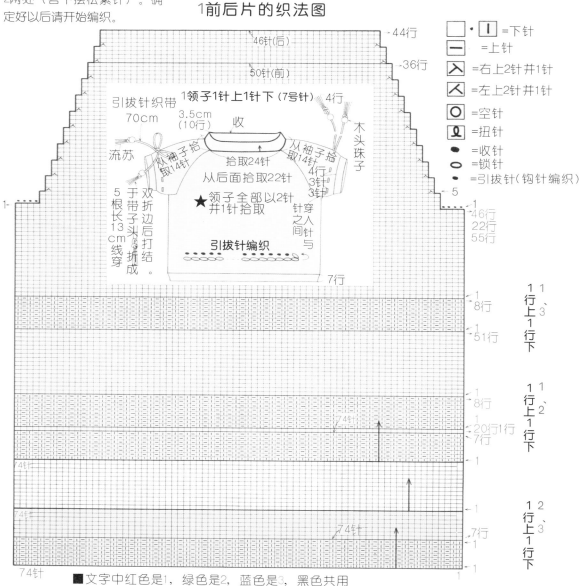

-44行
46针(后)
-36行
50针(前)

1领子1针上1针下 (7号针) 4行
引拔针织带 70cm
3.5cm (10行)
收
流苏
从袖子拾取14针
拾取24针
从后面拾取22针
从袖子拾取14针
木头珠子
4行 3针 3针
★领子全部以2针并1针拾取
针穿之人针与
双折边后打结。
引拔针编织
5根长13cm线穿成。于带子头3折成。
7行
1-
46行 22行 55行
5

8行
1行上1行下 1 3
51行

8行
1行上1行下 1 2
20行1行 7行

74针
1

74针
1

74针
1行上1行下 1 2 3
7行
1

74针

=下针
=上针
=右上2针并1针
=左上2针并1针
=空针
=扭针
=收针
=锁针
=引拔针(钩针编织)

■文字中红色是1，绿色是2，蓝色是3，黑色共用

2领子1针上1针下（6号针）

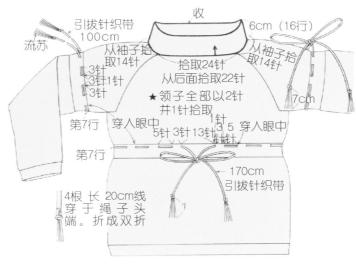

收

6cm（16行）

引拔针织带
100cm

流苏

从袖子拾
取14针

从袖子拾
取14针

3针
3针1针
3针

拾取24针
从后面拾取22针

★领子全部以2针
并1针拾取

7cm

第7行

穿入眼中

第7行

5针 3针 13针 1针
并1针

1 3 5 穿入眼中

170cm
引拔针织带

4根 长 20cm线
穿于绳子头
端。折成双折

引拔针编织

3领子（7号针）

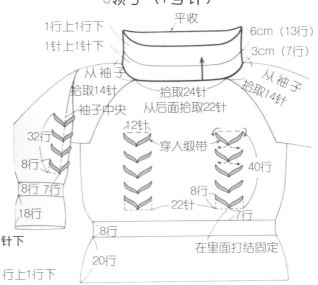

平收

1行上1行下

1针上1针下

6cm（13行）

3cm（7行）

从袖子
拾取14针

从袖子
拾取14针

拾取24针
从后面拾取22针

袖子中央

32行

8行

8行 7行

18行

12针

穿入缎带

22针

8行

40行

7行

8行

20行

在里面打结固定

2 3的袖子

○·○=3.5（8行）
●=3（7行） } 1针上1针下

★指定部分之外以9号针织1行上1行下

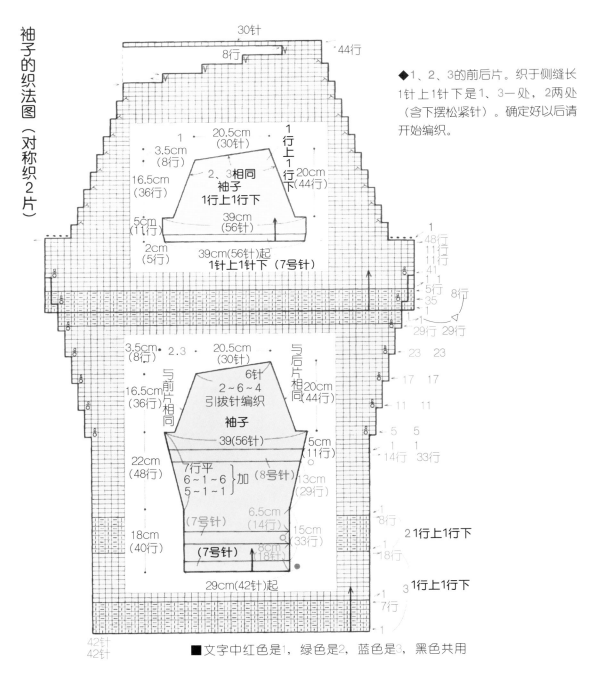

袖子的织法图（对称织2片）

30针
8行
44行

◆1、2、3的前后片。织于侧缝长
1针上1针下是1、3一处，2两处
（含下摆松紧针）。确定好以后请
开始编织。

1
3.5cm
（8行）
20.5cm
（30针）
1行上1针下
16.5cm
（36行）
2、3相同
袖子
1行上1行下
20cm
（44行）
5cm
（11行）
39cm
（56针）
2cm
（5行）
39cm（56针）起
1针上1针下（7号针）

1
48行
11行
11行
41
5行 8行
35
1
29行 29行

3.5cm
（8行）
2.3
20.5cm
（30针）
与前片相同
6针
2~6~4
引拔针编织
袖子
与后片相同
20cm
（44行）
16.5cm
（36行）
39(56针)
5cm
（11行）
22cm
（48行）
7行平
6~1~6
5~1~1
加（8号针）
13cm
（29行）
（7号针）
6.5cm
（14行）
5cm
（11行）
18cm
（40行）
（7号针）
8cm
（18针）
15cm
（33行）
29cm（42针）起

23 23
17 17
11 11
5 5
1 1
14行 33行

1
8行
2 1行上1行下
18行

3 1针上1针下
1
7行

42针
42针

■文字中红色是1，绿色是2，蓝色是3，黑色共用

钩编网眼裙

❋

Netting Skirt Cochet

腰部的抽带设计和裙角的倾斜设计，休闲感更强

同样采用钩针编织花朵技法，采用素色搭配

采用钩针编织花朵的技法，整体感觉优雅非常

以深绿、浅绿、褐色来搭配，素色显得十分和谐

❤ 材料和工具

线

1 灰色毛线背心170克，套裙200克

黑色毛线背心10克，套裙85克

2 编织线卡其混色线背心320克，围巾

130克

深绿色、黄绿色毛线套裙各70克，围

巾各45克

针

1 钩针5/0号

2 钩针5/0号，6/0号，7/0号

❤ 尺　　寸

1 背心：胸围90cm，衣长50cm，背肩宽35cm

套裙：腰围85cm，衣长63cm

2 套裙：腰围85cm，衣长63cm

围巾：宽17cm，长170cm

❤ 织法顺序

红色是**1**，蓝色是**2**，黑色共用

❤ 织法说明

背心

1.编织前后片

①按照图示拼接4片花样，编织。

②起85针锁针，不加减针钩30行网针。

③袖围减针同时钩5行，第5行连接花样

编织。

④从花样拾取16针立起，网针钩6行。第

6行连接前后肩编织。

2.钩领子

前后拾取23针立起，钩网针和短针。

3.缝合侧面

侧面锁3针，以引拔针1针缝合。

4.钩下摆、袖围

下摆、袖口用短针处理。

花样（共用）

花样的配色

A	B	C
灰色	混色	混色
灰色	混色	混色
黑色	深绿	黄绿
灰色	混色	混色

花样的配色

使用的钩针	1背心	1套裙	2套裙		2围巾		一片的长度
	花样A		花样B	花样C	花样B	花样C	
7/0号针			15片	15片			10.5cm
6/0号针			10片	10片			9.5cm
5/0号针	8片	50片	10片	10片	20片	20片	8.5cm

1前后片的编织方法图

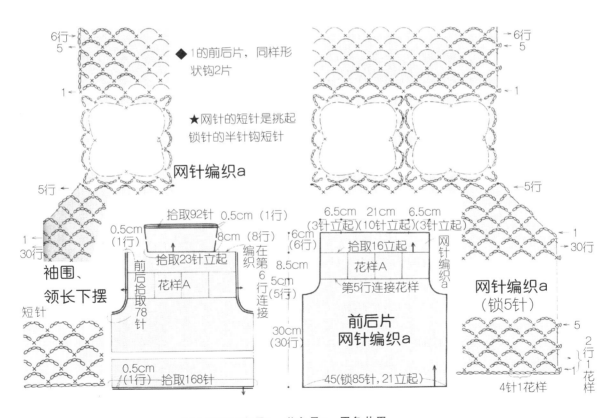

◆1的前后片，同样形状钩2片

★网针的短针是挑起锁针的半针钩短针

网针编织a

6行
5

1

5行

1
30行

袖围、
领长下摆

短针

拾取92针　0.5cm（1行）
0.5cm
（1行）
8cm（8行）
拾取23针立起
编在织第6行连接
花样A

前后拾取78针

0.5cm
（1行）　拾取168针

6行
5

1

5行

6.5cm　21cm　6.5cm
（3针立起）（10针立起）（3针立起）
6cm
（6行）
8.5cm
5cm
（5行）
拾取16立起
花样A
第5行连接花样
前后片
网针编织a
45（锁85针，21立起）

8.5cm
6行连接

30cm
（30行）

网针编织a

1
30行

网针编织a
（锁5针）

5

2行
1花样

1

4针1花样

2
行
1
花
样

■文字的红色是1，蓝色是2，黑色共用

75

2 围巾

花样连接

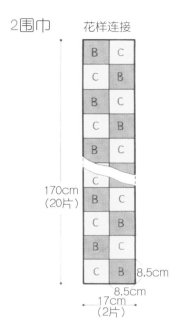

B	C
C	B
B	C
C	B
B	C
C	
B	C
C	B
B	C
C	B

170cm
（20片）

8.5cm

8.5cm
17cm
（2片）

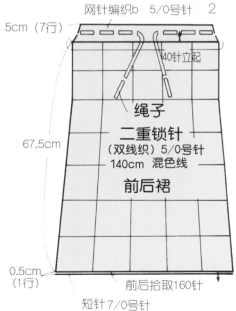

网针编织b 5/0号针 2

5cm（7行）

40针立起

绳子
二重锁针
（双线织）5/0号针
140cm 混色线
前后裙

67.5cm

0.5cm
（1行）

前后拾取160针

短针 7/0号针

💕 **织法说明**

套裙

1.钩花样，连接

①花样用5/0号针钩50片，针的号数换成6/0号针钩70片。

②参照连接方法图，将花样靠拢以引拔针连接。

2.钩下摆

①拾取40针立起，按图钩网针，短针处理。

②2用短针处理。

3.钩腰身

拾取40针立起钩7行网针，第4行穿入绳子。

花样连接方法与穿绳处（共用）

中央

网针编织b（锁3针）

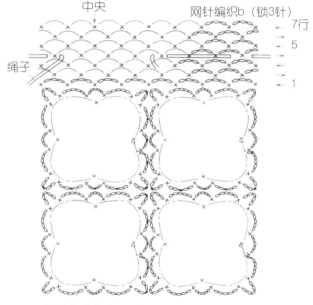

绳子

→7行
→5
→1

★花样连接方法是挑起锁针半针，以引拔针连接。

⊤ =长长针	◯ =锁针	● =引拔针
T =中长针	✕ =短针	=2针长针
⊤ =长针		=3针长针钩珠针

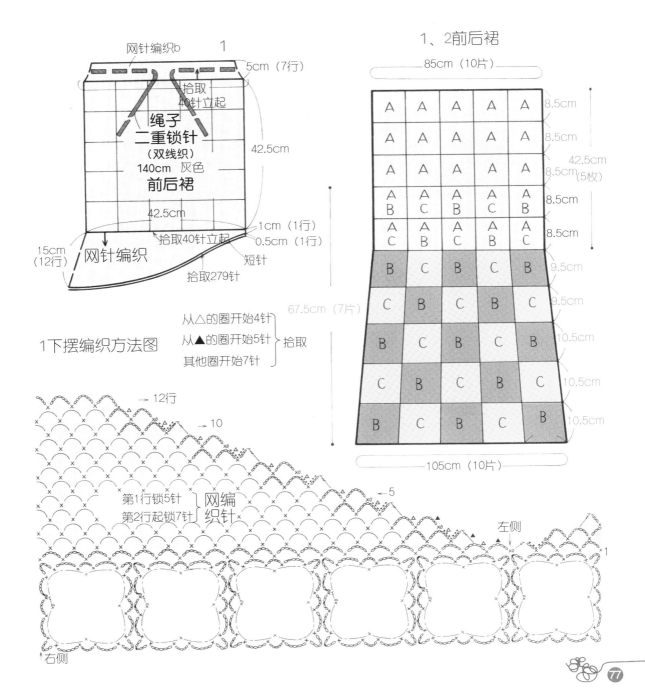

网针编织b 1
5cm（7行）
拾取40针立起
绳子
二重锁针
（双线织）
140cm 灰色
前后裙
42.5cm
42.5cm
1cm（1行）
拾取40针立起
0.5cm（1行）
短针
15cm
（12行）
网针编织
拾取279针

1、2前后裙
85cm（10片）

A	A	A	A	A	8.5cm
A	A	A	A	A	8.5cm
A	A	A	A	A	8.5cm
A	A	A	A	A	8.5cm
A B	A C	A B	A C	A B	
A C	A B	A C	A B	A C	8.5cm
B	C	B	C	B	9.5cm
C	B	C	B	C	9.5cm
B	C	B	C	B	10.5cm
C	B	C	B	C	10.5cm
B	C	B	C	B	10.5cm

42.5cm
（5枚）

67.5cm（7片）

105cm（10片）

1下摆编织方法图

从△的圈开始4针
从▲的圈开始5针 } 拾取
其他圈开始7针

→12行
→10
第1行锁5针
第2行起锁7针 } 网编织针
→5
左侧
右侧

特殊的钩编方法，产生网眼效果

经典的黑色，很有个性

2

具有褶皱感的领子

袖口略长的设计

有点懒散，有点帅气

Fishing Net Sweater

渔网式毛衣

材料和工具

线

1 中粗型黑色毛线140克

2 中粗型白色毛线260克

针

1 钩针5/0号、7/0号

2 钩针8/0号

辅助材料

用于2的松紧带40cm

尺　寸

1 2 胸围88cm、衣长51cm、背肩宽

44cm、袖长50cm

织法顺序

红色是1，蓝色是2，黑色共用

织法说明

1.织后片

锁针起针起73针89针，以锁5针的网针不加减织39行53行，在上袖止位处留出线印。

2.织前片

参照图示，将领围减针的同时织6行7行，不加减针一直织到下摆。

3.织袖子

与大身一样起49针61针，将袖底缝加针同时织网针，以引拔针织衣身的同时在最终行连接。

4.缝合腋下、袖底缝

腋下、袖底缝反面朝外合起来锁4针，引拔针1针缝合。

1袖子、领围、袖口

短针（7/0号针）

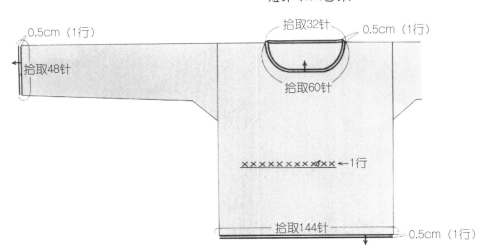

5.织领子
②拾取27针，织18行网针，以1行短针整理。

6.织下摆、领围、袖口
①下摆、领围、袖口以1行短针整理。
②②在袖子的第11行里面穿上松紧带整理。

1 2

前片
网针

（7/0号针）（8/0号针）

50.5cm
（39行）
（53行）

15行
20行

织法参照图

7.5cm（6行）
7cm（7行）

40cm

12cm　　20cm　　12cm
（5针立起）（8针立起）（5针立起）
（6针立起）（10针立起）（6针立起）

16行
21行

后片
网针

（7/0号针）（8/0号针）

50.5cm
（39行）
（53行）

44cm

（锁73针、18立起）
（锁89针、22立起）

上袖止位

线印

上袖止位

线印

起

■文字中红色是1，蓝色是2，黑色共用

②下摆、袖口、领长
短针

网针

0.5cm（1行）

拾取108针　17cm（18行）

拾取17针立起
从后面拾取10针立起

全部用8/0号针

拾取60针

在第11行的里面穿上松紧带

0.5cm（1行）

0.5cm
（1行）

拾取176针

○ = 锁针

● = 引拔针

╳ = 短针

Ŧ = 长针

1、2前后领围的编织方法图

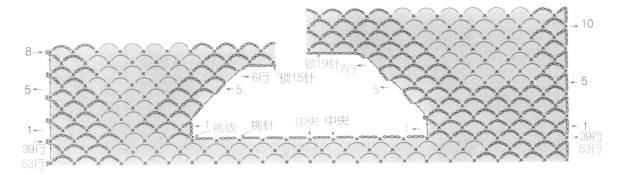

1、2袖子的编织方法图

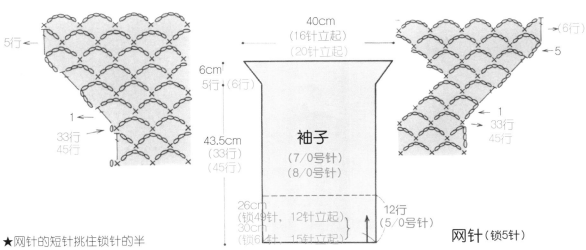

40cm
(16针立起)
(20针立起)

6cm
5行(6行)

袖子
(7/0号针)
(8/0号针)

43.5cm
(33行)
(45行)

26cm
(锁49针、12针立起)
30cm
(锁61针、15针立起)

12行
(5/0号针)

★网针的短针挑住锁针的半针钩短针。

◆同时表示1、2的袖子。以指定针从袖口起针。

◆接袖方法是大约2行1立起的比例接缀。确认后接上。

◆同时表示1、2前后片。接前片下摆编织。

◆1的领围从中央起按左右对称位置挑线钩6行。

网针（锁5针）

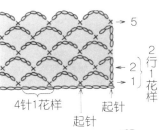

4针1花样   起针
起针

2行1花样

81

✳ Decoration Coat
装饰外套

超短款的外套
长长的袖子
领子上的不规则袋子
看起来随意懒散

✳

❤❤ 材料和工具

线

米色毛线240克

杏仁饼干色、蓝色毛线各20克

针

棒针13号4根

❤❤ 织法说明

①以锁针起64针，反面用伸缩编法织12行。▲与△的部分都锁40针，拾取针眼织144针织42行。▲、△部分收针织12行。

②◎部分都锁13针后拾取针眼，再织92针为12行。最后收针。

③合印部分以卷缝法缝合。

④下摆部分用短针织。

⑤装饰绳编2条，缝缀在两侧上。

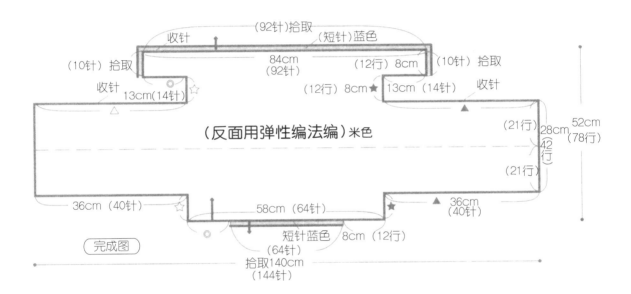

（92针）拾取

收针 （短针）蓝色

（10针）拾取 84cm （10针）拾取
（92针） （12行）8cm

收针 13cm（14针） （12行）8cm★ 13cm（14针） 收针

（反面用弹性编法编）米色 （21行）28cm 52cm
（42行）（78行）

（21行）

36cm（40针） 58cm（64针） ▲ 36cm
（40针）

完成图 短针蓝色 8cm（12行）
（64针）

拾取140cm
（144针）

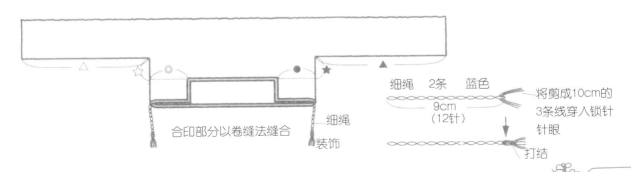

合印部分以卷缝法缝合 细绳 装饰

细绳 2条 蓝色
9cm
（12针）

将剪成10cm的3条线穿入锁针针眼

打结

Simple Short Coat

❋织法简单短外套

只需要编织长方形的形状
进行简单的缝合
就可以轻松完成
简单而实用

💗 **材料和工具**

线

并太型黑色毛线230克

针

钩针8/0号

💗 **辅助材料**

直径2.5cm黑色纽扣3个

💗 **织法说明**

①部分以锁针起针开始钩，花样编织钩29
　行。只在右前面一边制作扣眼一边钩。

②后片和前片反面朝外并在一起，以引拔接
　线法缝合。

③缀上纽扣。

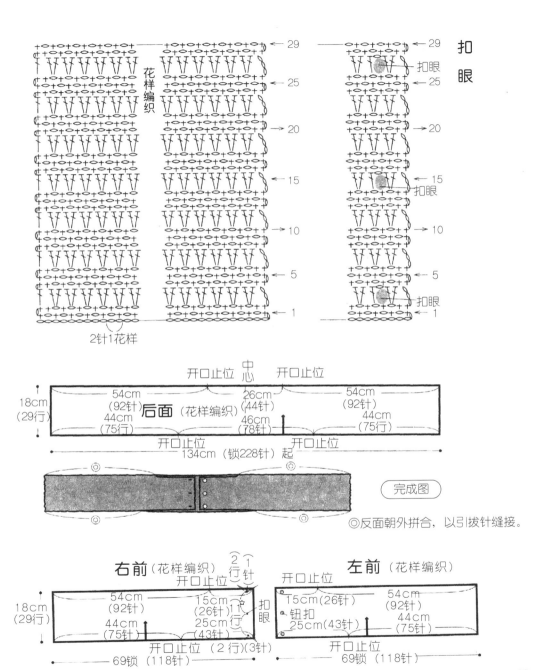

花样编织

←29

←25

→20

←15

→10

→5

→1

2针1花样

扣眼

←29

←25

→20

←15

→10

→5

←1

扣眼

扣眼

扣眼

开口止位　中　开口止位
忠

18cm
(29行)

54cm
(92针)

26cm
(44针)

54cm
(92针)

后面（花样编织）

44cm
(75行)

46cm
(78针)

44cm
(75行)

开口止位　开口止位

134cm（锁228针）起

完成图

◎反面朝外拼合，以引拔针缝接。

右前（花样编织）

2　1
行　针

开口止位

18cm
(29行)

54cm
(92针)

15cm
(26针)

1
行

扣眼

44cm
(75针)

25cm
(43针)

开口止位（2行)(3针)

69锁（118针)

左前（花样编织）

开口止位

15cm(26针)

54cm
(92针)

钮扣

44cm
(75行)

25cm(43针)

开口止位

69锁（118针)

很适合男生粗犷的性格

混色毛线，鸡心领的设计

Sweater For Men
06. 男装毛衫

寒冷的季节，为他编织一件毛衣，
这份心意不仅让他暖在身上，
同时也暖在心里。
用一份亲手编织的礼物表达爱意，
既特别又贴心。

2

白色的针织短袖
使用扭花的编织方法
适合性格细腻的男生

3

黑色的宽松毛衣
搭配粗犷的麻花编织图案
适合休闲场合穿着

1️⃣ 胸围108cm，衣长65cm，肩背宽44cm，袖长60cm

2️⃣ 胸围100cm，衣长62cm，肩背宽46cm

3️⃣ 胸围106cm，衣长69cm，肩背宽43cm，袖长60cm

💜💜 织法顺序

蓝色是**1**，红色是**2**，绿色是**3**，黑色共用

💜💜 织法说明

1.织后片

①1针上1针下起针76针76针62针。分别织18行10行12行1针上1针下，1全部织一行上一行下，2、3在指定位置放置花样编织，不加减缝长织58行58行46行。

②以收针A与2针并1针减针。

③领围左右减针。从线的右侧往边端减肩部针作空针处理。

2.织前片

①与后片同样方法编织，1、2的中央2针空针，分成左右在1针内侧减针。

3 .1、3织袖子

①与衣身同样方法起针，1针上1针下织18行12行。袖底1行上1行下加针（空针加针）同时编织。

②袖山左右以收针A减针。

💜💜 材料和工具

线

1️⃣ 极粗型藏青系混色线540克

2️⃣ 极粗型米色300克

3️⃣ 超极粗型黑灰色1020克

针

1️⃣2️⃣ 棒针13号2根，11号4根

3️⃣ 棒针8mm4根

★除1是1针上1针下之外，其他全部
织1行上1行下。

★2、3在指定部分之外全部织1行上
1行下。

3　　　　　　　　　　　　　　　　　　　1・2

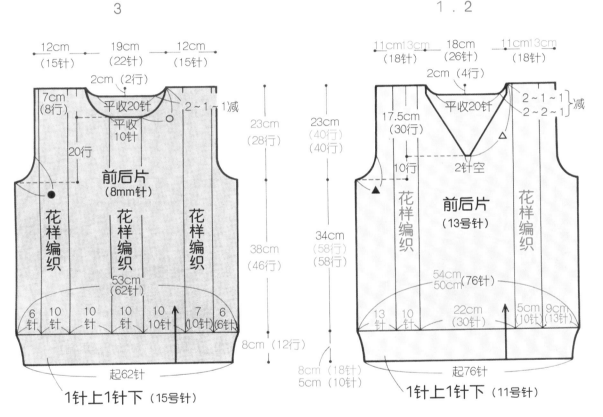

12cm（15针）　19cm（22针）　12cm（15针）

2cm（2行）

7cm（8行）

平收20针

2～1～1减

平收10针

20行

前后片（8mm针）

花样编织　花样编织　花样编织

53cm（62针）

6针　10针　10针　10针　10　10针　7针　6针（6针）

23cm（28行）

38cm（46行）

8cm（12行）

起62针

1针上1针下（15号针）

●＝
$\begin{cases} 2～1～1 \\ 2～2～1 \\ 1～2～1 \end{cases}$减

○＝
$\begin{cases} 2行平 \\ 2～1～1 \\ 2～2～1 \\ 2～3～1 \end{cases}$减

11cm 13cm（18针）　18cm（26针）　11cm 13cm（18针）

2cm（4行）

17.5cm（30行）

平收20针

2～1～1
2～2～1　减

10行

2针空

前后片（13号针）

花样编织　花样编织

54cm 50cm（76针）

13针　10针　22cm（30针）　5cm（10针）9cm（13针）

23cm（40行）

34cm（58行）

8cm（18针）
5cm（10针）

起76针

1针上1针下（11号针）

▲＝
$\begin{cases} 2～1～1 \\ 2～2～1 \\ 3～1～1 \\ 行针回 \end{cases}$减

△＝
$\begin{cases} 5行平 \\ 2～1～1 \\ 3～1～1 \end{cases}$减

前片的织法图

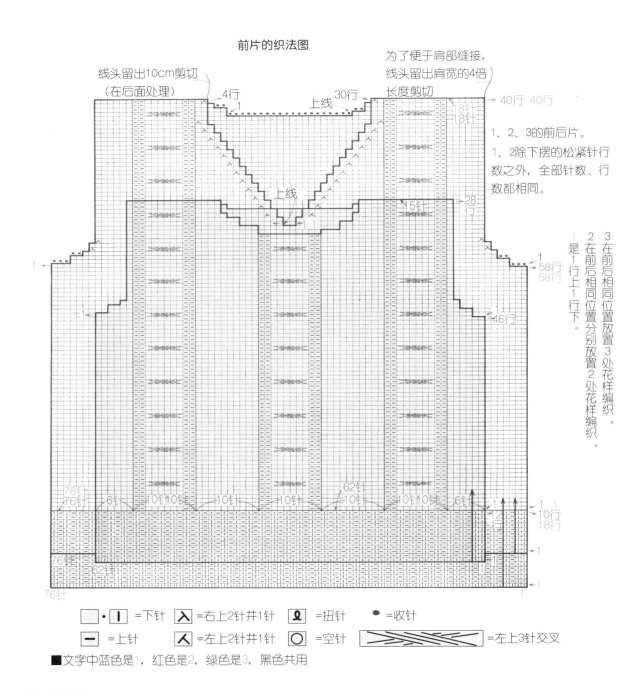

线头留出10cm剪切
（在后面处理）

为了便于肩部缝接，
线头留出肩宽的4倍
长度剪切

4行
30行
上线
40行 40行

1
上线
上线
28行
15针
18针
18针

1、2、3的前后片。

1、2除下摆的松紧针行
数之外，全部针数、行
数都相同。

58行
58行
46行
1
1
11

3 在前后相同位置放置3处花样编织。

2 在前后相同位置分别放置2处花样编织。

1 是1行上1行下。

76针
76针
6针
10针 10针
10针
10针
62针
10针
10针 10针
6针
1 1
1 1
10行
18行
1

62针
76针
1

□ · | =下针　 人 =右上2针并1针　 Ω =扭针　 ● =收针

— =上针　 人 =左上2针并1针　 O =空针　 ◇◇◇ =左上3针交叉

■文字中蓝色是1，红色是2，绿色是3，黑色共用

4.缝接肩部，缝合腋下、袖底缝

①前后片反面朝外合起来，肩部作引拔缝接。

②腋下从下摆开始，袖底缝从袖口开始以暗针缝合。

5.织领子

从前后拾取针，1针上1针下织成环状，再以1针上1针下固定。1、2的前领围中央在2针空针之间织扭针，拾取针眼。

6.1、3接上袖子

衣身与袖子反面朝外合起来，一边看衣身一边以引拔针缝结固定。

7.2织袖笼

从前后袖笼拾取针，1针上1针下织成环状，再以1针上1针下固定。

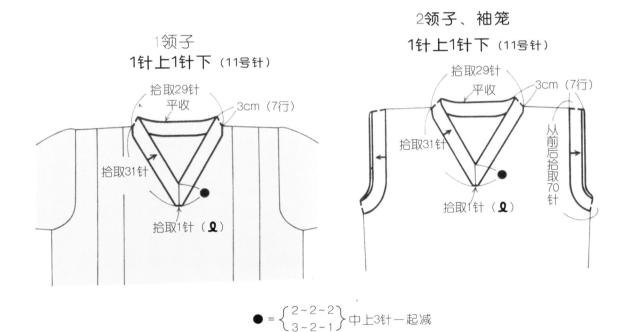

1领子
1针上1针下（11号针）

拾取29针
平收

3cm（7行）

拾取31针

拾取1针（ℓ）

2领子、袖笼
1针上1针下（11号针）

拾取29针
平收

3cm（7行）

拾取31针

从前后拾取70针

拾取1针（ℓ）

● = { 2~2~2 / 3~2~1 } 中上3针一起减
行 针 遍

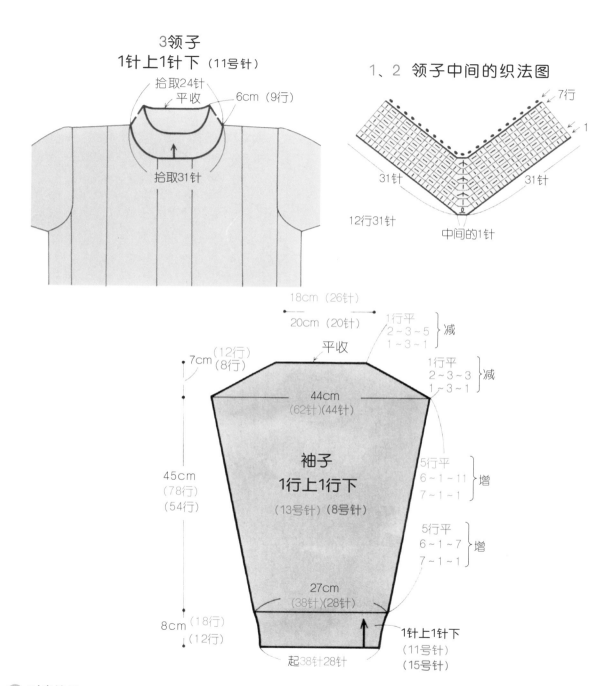

3领子
1针上1针下（11号针）

拾取24针
平收
6cm（9行）

拾取31针

1、2 领子中间的织法图

7行

1

31针   31针

12行31针

中间的1针

18cm（26针）
20cm（20针）

1行平
2~3~5 } 减
1~3~1

平收

1行平
2~3~3 } 减
1~3~1

7cm（12行）
（8行）

44cm
（62针）（44针）

5行平
6~1~11 } 增
7~1~1

袖子
1行上1行下
（13号针）（8号针）

45cm
（78行）
（54行）

5行平
6~1~7 } 增
7~1~1

27cm
（38针）（28针）

8cm（18行）
（12行）

1针上1针下
（11号针）
（15号针）

起38针28针

袖子织法图

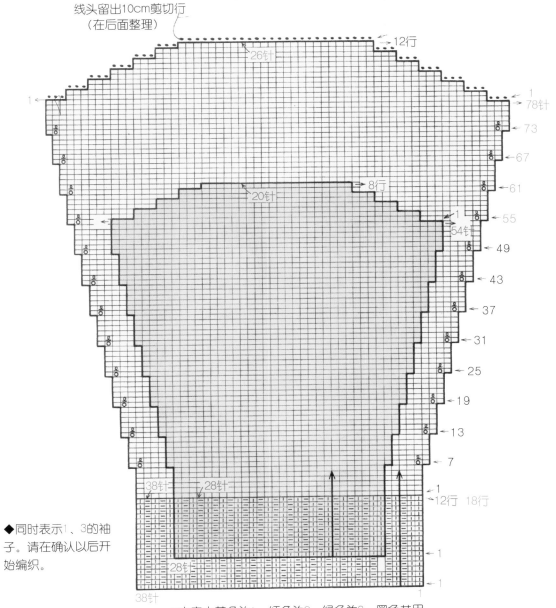

线头留出10cm剪切行
（在后面整理）

26针

12行

1

1
78针

73

67

61

1
54针

55

49

43

37

31

25

19

13

7

8行

20针

38针

28针

28针

38针

1
12行 18行

1

1

◆同时表示1、3的袖子。请在确认以后开始编织。

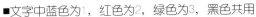
■文字中蓝色为1，红色为2，绿色为3，黑色共用

01* Sweater Knitting Steps
编织毛衣的步骤

相对于其他的编织物品来说，编织毛衣相对复杂一些，不仅要掌握各种针法，同时还要掌握更多的编织技巧，例如加针、减针、缝合织片……

下面的内容以编织一件简单的毛衣为例，将毛衣编织过程之中的方法与技巧详细介绍一下。

1.织后片
Knit the Back Piece

①线头留出编织尺寸的3.5倍，作一般性的起针。

②将用于松紧编织的2根7mm棒针中的1根穿入线环，拉紧线。形成第1针。

③起第2针。

④完成作品的47针。到此完成第1行。

袖笼减针
收针A与右、左上2针并1针

右侧减针

⑤织第2行。此时第2行的反面，按图示的松紧针符号反向编织（重复正、反、正、反）。

⑥织成12行弹性编织针。

★第1行抛针。
①织2针下针。

②右端的针将第2针盖住。

③完成1针收针。

④织下针并盖住边端的针，重复3遍，减3针。

★第3行左上2针并1针。
⑤边端的1针织下针。

左侧减针

⑥右手的棒针一次穿入第3针与第2针。

⑦拉出线，减完1针。

⑧重复1遍3针的收针，重新编左上2针并1针，完成右侧袖笼。

★第2行平收针。
①织2针上针。

②右端针将第2针盖住，完成1针的收针。

③织上针并盖住边端的针，重复3遍，作3针收针。

★第3行右上2针并1针。
④左侧织3针上针至近前。

⑤从左端不必织第3针，移至右手棒针。

⑥不织下1针，移至右手棒针。

⑦右手棒针的2针交换到左手棒针。

⑧边端处第2针与第3针已经发生交换。

⑨右手棒针一次穿入2个针眼。

95

⑩拉出线，完成1针减针。

⑪下一针织下针。

⑫重复1遍3针收针，重复3遍右上2针并1针，完成左侧袖笼。

织后领围

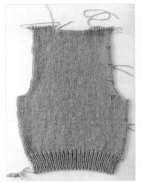

★肩部线头右侧留出大约肩宽的4倍，左侧留出10cm，剪切。

（左侧）★左上2针并1针。
①用上针（反针）织左肩的9针与减少的2针，一共11针。

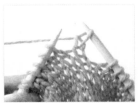

②换执正面，织1针下针。（正针）

③将右手棒针一次穿入接下来的第3针和第2针，接出线。

④减完1针。

⑤换执反面，织3针上针至近前。将右手棒针一次穿入第3针和第2针。

⑥织完左侧领围，肩部留了9针。

⑦重新挑上线，以上针织中间的13针，同时作收针。

⑧留出右肩9针与减少的2针（一共11针），接着织上针。

⑨换执正面，以下针织右侧3针至近前。

⑩从左端开始将第3针与第2针作右上2针并1针减针，织1针下针。在第3行重复一遍，织右侧领围。

2.织前片 Knit the Front Piece

★与衣身相同将侧缝长织到第26行V领织成左右对称。

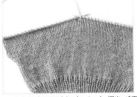

①从27行开始穿入右侧V领的减针处。织23针下针。

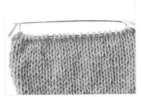

②左侧23针与中间的1针（24针）作空针。

③换执反面，对右侧领围与袖笼作指定行数的减针。

④右侧织完。

⑤空出当中的1针，重新挑线。

⑥左侧领围与袖笼也以指定行数减针。

3.缝接肩部 Sew the Shoulder Piece

①前后片反面朝外合起来。

②近前的1针移至钩针。

③另一侧的1针也移到钩针上。

④从另一侧的针穿入近前的针钩1针。

⑤用钩针钩住线，从1针中拉出。

⑥近前与另一侧的针移至钩针。

⑦从另一侧的针穿入近前的针，用钩针钩住线。

⑧重复②~⑤的步骤。

⑨缝接肩部的9针，将最后的线头穿入线环，拉紧线。

⑩肩部缝接完成。

4.织袖笼 Sew Sleeves

①看着衣身正面拾取眼。

②接着拾取边缘半针内侧。

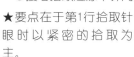

★要点在于第1行拾取针眼时以紧密的拾取为主。

③从前后袖笼拾取72针。

④1针上1针下织4行作收针。（下针作下针，上针作上针，边织边收）

⑤左右袖笼织完。

5.缝合腋下 Sew the Oxter Piece

①织物正面朝外合起来，留出的线头穿入缝针，从没有线头的一侧挑半针内侧。

②每1行相互挑针。

③重复5~6遍，拉紧线，注意使缝线看不见。

④不加减针编织侧缝，相互挑半针缝合内侧。

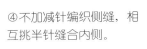

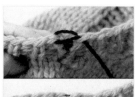

⑤缝合完毕后，按图将缝线穿入最初与最后的针，接紧线。

6.织领子 Knit the Collar

★中间作中上3针并1针。前后领围分到3根棒针上编织，为使1针上1针下更容易编织，一边移动棒针一边继续织。

①与袖笼同样方法，拾取前领围半针内侧。从左领围一侧开始拾取，从第2行起织1针上1针下。

②中间的1针与右侧1针2针一起移到右手棒针上。

③下一针织下针。

④在图②所移2针中穿入左手棒针。

⑥1针上1针下织4行后与袖笼同样要领作收针，前中央处以中上3针并1针收针。

⑤盖住图3的针。中间的1针在上面，在第3行重复3遍中上3针并1针。

7.整理
Coordinate All Pieces

①线头从反面拉出，整理毛线。

②用蒸汽熨斗整理全部，完成。

02 ✳ 棒针编目记号针法

棒针针法变化多样，可以变化出许多的漂亮图案，让编织物品样式更丰富，在变化之中感受编织的乐趣。

上针

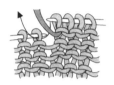

①右棒针由前往后插入挂在左棒针上的针目。

②织线由下往上绕过后方的右棒针尖端。

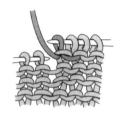

③以右棒针引出织线。

下针

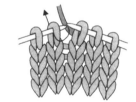

①右棒针由后往前插入挂在左棒针上的针目。

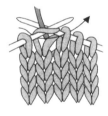

②织线依箭头方向绕过前方的右棒针尖端。

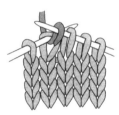

③以右棒针引出织线。

右上2并针

①棒针依箭头方向穿过左边针目，不织，移到右棒针上。

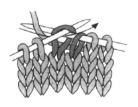

②左边针目织下针。

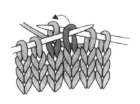

③移到右棒针的针目套收在左侧（即步骤2下针）的针目上。

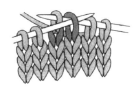

①右棒针依箭头方向穿
过要合并的左棒针2个针
目中。

②挂线，棒针依箭头方
向挑出。

③抽出左棒针即完成。

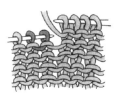

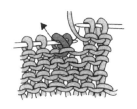

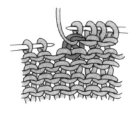

①左棒针上的2针顺序交
换，即原先在右的第一针目
移为第二针目。

②右棒针依照箭头方向插
入2针中，合并织上针。

③棒针从2针目里挑出1针
目，完成。

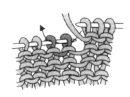

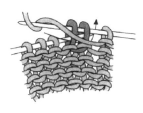

①右棒针依箭头方向穿
过要合并的2针目中。

②挂线，棒针依箭头方向挑出。

③抽出左棒针后完成。

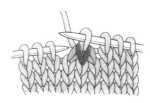

①将左针的2针移到右针。

②以下针织下一针。

③将移动的2针盖住这一针。

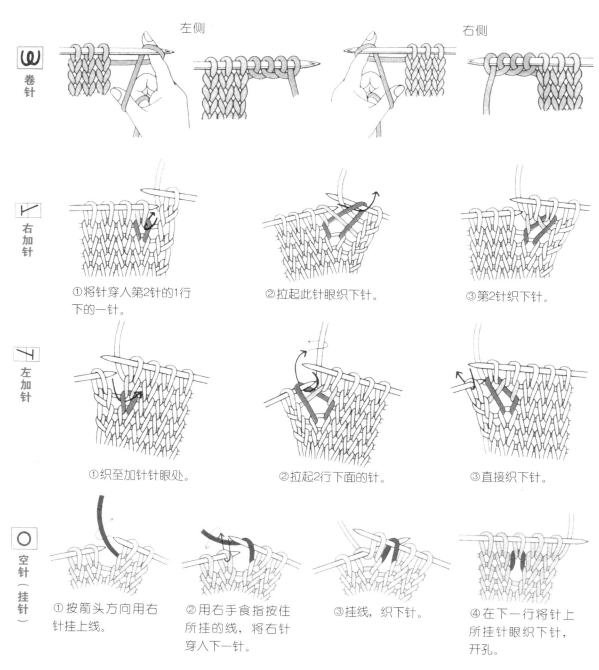

左侧　　　　　　　　　　　　　　　　　右侧

卷针

右加针

①将针穿入第2针的1行下的一针。

②拉起此针眼织下针。

③第2针织下针。

左加针

①织至加针针眼处。

②拉起2行下面的针。

③直接织下针。

空针（挂针）

①按箭头方向用右针挂上线。

②用右手食指按住所挂的线，将右针穿入下一针。

③挂线，织下针。

④在下一行将针上所挂针眼织下针，开孔。

ℓ **扭针**

①按箭头方向穿入右针。

②用右针将线从左针针眼中拉出。

③针的底部被扭转。

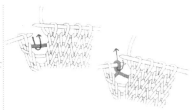
从针与针之间拾取，扭转（加针）。

左上2针交叉

①将右侧交叉的2针从针的另一侧取下空出，织左侧2针。

②接着在织完右侧空掉的2针后，左侧的2针到了上面。

右上2针交叉

①将右侧交叉的2针从针的近前取下空出，织左侧2针。

②接着在织完左侧空掉的2针后，右侧的2针到了上面。

★3针交叉用同样方法织3针。

绳编针

交错穿入左右针织交叉针，每隔几行重复编织成为绳编针（索状花样）。图片中的绳编针是重复每隔6行作3针交叉织成的。虽然暂时空出了所交叉的针，使用绳编针以后，针眼很难脱落，十分方便。

V **滑针 返回针**

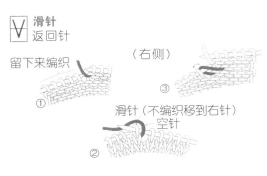

留下来编织
①
（右侧）
③
滑针（不编织移到右针）
空针
②

（左侧）

留下来编织
①
③
滑针
（不编织移到右针）
空针
②

03 Stitches and Emblems of Crochet Hook
✳ 钩针编目记号针法

钩针编织的毛衣装饰性很强，花样繁多。同时，缝合接片的时候，也需要用到钩针。所以，要掌握钩针的基本用法。

锁针

①针头按箭头方向移动，将线从远处拉到近前。

②从线环中拉出线。

③用同样的方法钩线，拉出第二针。

引拔针（叠针）

①不钩立起，将针穿入箭头所指的孔中。

②将线挂于针上，按箭头所示方向一次拉出。

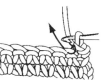
③第二针按箭头所示下针，同样方法拉出。

十 短针

①在上一行钩的锁状2根线中间穿入针头。

②用针将线从远处拉到近前，按箭头方向拉出。

③再次将针套上线，从两个线环中一次拉出。

④短针完成。

T 中长针

①将线套在针上，拾取上一行钩的锁状的2根线，将针穿入。

②用针将线从远处拉到近前，按箭头方向拉出。

③再次将针套上线，从3个线环中一次拉出。

④中长针完成。

长针

①将线套在针上，拾取上一行钩的锁状的2根线，穿入针。

②用针将线从远处拉到近前，按箭头方向拉出。

③将针套上线，使针头从两个线环中拉出。

④套上线，从所剩的线环中一次拉出。

短退针

①从左侧向右编织。

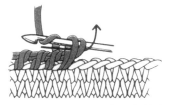
②拉出线，从2个环中一次拉出。

锁3针的饰边小圈

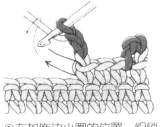
①在加饰边小圈的位置，织锁针3针。按箭头方向穿入针。

②钩住线，一次性拉出，形成圆形的结。

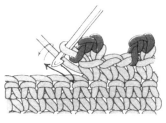
③下一针织短针，决定好间距，重复加饰边小圈。

短针放2针（加针）

在上一行的1针织入2针短针，加针。

加了1针。

长针放2针（加针）

钩住线，再次把针从近处穿入同一针。

拉出线，分2次分别从2个环中拉出线。

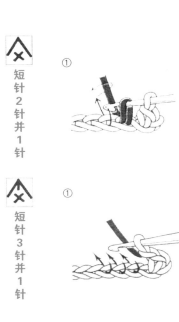

短针2针并1针

① ② ③

拉出2针线，从
3个环中一次拉出。

短针3针并1针

① ② ③

拉出3针线，从
4个环中一次拉出。

胖针

①织指定针数的长针，
取下针。

②在最初一针的上部从
近处穿入针，从取下的
针眼中拉出。

③锁1针，完成。

二重锁针

① ② ③ ④ ⑤

把线从针上取下。 织空出的针。 收紧。

04 Knitting Stitches in Common Use
✳编织常用针法

编织针法，千变万化，但是万变不离其宗，所有复杂的针法都是由几种常用的基础针法变化而来的。

1.平针编织 Plain Stitch Knit
由简单的下针组合而成的织法

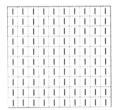

正面织下针，背面织上针

①将针往下穿入（正面）。

②绕线。

③引出一个线圈。

④完成1下针。继续织完一行。

⑤针往上穿（背面）。

⑥绕线。

⑦引出一个线圈，再将针往上穿，绕线及引出线圈方向如箭头所示。

⑧完成上针。

2.单行弹性编织（单罗纹）Single Line Elasticity Knit

由1个上针和1个下针构成的织法，背面织法要和记号图相反。

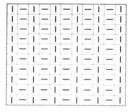

由1个上针和1个下针构成的织
法，背面织法要和记号图相反

①织1针下针。

②将线往上移。

③织1针上针。

④将线往下移。

3.双行弹性编织（双罗纹）Double Line Elasticity Knit

由2个上针和2个下针构成的织法，背面织法和要记号图相反。

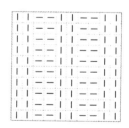

①将线往上移，织完2针上针。

②将线往下移，织完2针下针。

4.豆豆织法 Bean Stitch

上针和下针交织出一个个结，像是一粒粒豆子，所以称它为 "豆豆织法"。

起针起单数针的织法

①依所需宽度起针。

②开始以1针下针、1针上针织第一行，也就是正面，在所有针目织完后，最后一针为下针，将织品翻面。

③同样以1针下针、1针上针织第二行，也就是反面，在所有针目织完后，最后一针为下针，将织品翻面，回到正面编织。

④重复织步骤2和3，因下针和上针的交错形成一个个豆豆。

⑤织到所需长度后收针。

⑥隐藏线头。

⑦完成。

起针起双数针的织法

①依所需宽度起针。

②开始以1针下针、1针上针织第一行，也就是正面，在所有针目织完后，最后一针为上针，将织品翻面。

③以1针上针、1针下针织第二行，也就是反面，在所有针目织完后，最后一针为下针，将织品翻面，回到正面编织。

④重复织步骤2和3，因下针和上针的交错形成一个个豆豆。

⑤织到所需长度后收针。

⑥隐藏线头。

⑦完成。

05 Familiar Knitting Technique
✽常见的编织技法

编织有许多的技巧，编织相对复杂的毛衣时，要注意每个小细节。想编织出完美的作品，加针、减针、接片缝合……教你做个编织高手。

1.加针 Add Stitch

空针的加针

右侧

①用右针将线从近前挂到另一侧。

②按箭头将右针穿入反面，扭住空针编织。

③空针被扭转，形成1针的加针。

左侧

①用右针将线从另一侧挂到近前。

②按箭头将右针穿入反面，扭住空针编织。

③空针被扭转，形成1针的加针。

从行上拾取针眼法

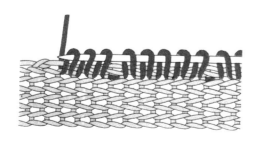

将线置于另一侧，看着正面将针穿入边缘针和第2针之间，拉出线。

拾取所需的针数（形成第1行）稍稍紧密地拾取针眼，完成。

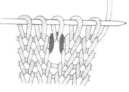

○
空针（挂针）

①按箭头方向用右针挂上线。

②用右手食指按住所挂的线，将右针穿入下一针。

③挂线，织下针。

④在下一行将针上所挂针眼织下针，开孔。

2.减针 Reduce Stitch

从右侧减针

① 织完上一行换方向，锁2针立起，用针钩住线，从近处一侧穿入针，从2个环中1次拉出，钩住线。

② 再一次从2个环中一起拉出，形成2针并1针，减完1针。

从左侧减针

 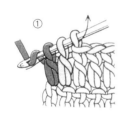

① 从上一行左端织至2针剩余处，拾取接下来的针，从2个环中一次拉出，再次拾取左端的针从2个环中一次拉出后剩下3个环，用针钩住线。

② 从3个环中一次拉出。减完1针。

3.收针 Close Stitch

普通收针方法 正面

 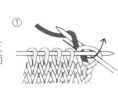   

① ② ③ ④ ⑤

111

① ② ③ ④ ⑤

反面

搭线收针方法

缓织收针

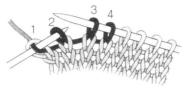

①缓织收针。

②将1、2针移到左针。

③将1针盖到2针上。

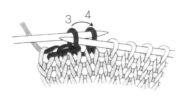

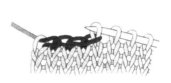

④1针1针地移至
左针，平收。

⑤按指定针数收针。

⑥换执右针，搭线织
下一针。搭线

引拔收针方法

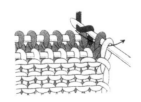

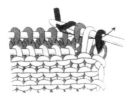

①将织物反面朝外合起
来，将钩针移至近处的
1针，钩住线从2个环中
一起拉出。

②从棒针上转移2针至钩
针，钩住线从3个环中一起
拉出。

③2针2针地拉出拼
接，最后，从挂于钩
针的环中拉出线头。

4.接片缝合与钉扣技巧 Technique of Sewing Pieces and Fastening Buttons

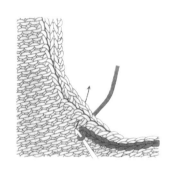

针与行的拼接

在近处收针（平收）使织物对接，注意针与行之间的平衡交互挑针。拉近处一侧空针时也用同样方法。

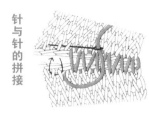

针与针的拼接

针与针的对接，挑另一侧的V字，近处的八字。

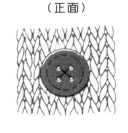

袖子的引拔缝合

接袖方法是衣身与袖子反面朝外合起来，与袖山中央、腋下与袖底缝分别缝合，用扣针固定。看着衣身一侧拿好织物，缝线置于袖子一侧。钩针从近处穿入，钩住线拉出。重复此步骤织圈，连接起针处，整理毛线。（与钩针编织同样要领）

缝合扣子技巧

（正面）　　　（反面）

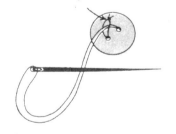

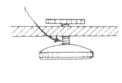

反面安上比正面略小一些的钮扣或塑料扣。

①在反面穿过结扣固定。

②根据织物的厚度上扣脚。

因为织物的线容易被拉紧，后面安了底扣的钮扣的钉法，可以最充分、完整地固定纽扣。根据钮扣背面毛衣料的厚度，绕线上扣脚。另外，在织物很薄或有些紧的情况下，不加底扣也可以。钉扣处的织物挑1针左右，同样方法接上扣脚。

■ 策　　划： ⊙中映·良品
　　　　　　 ZHONGYING LIANGPIN CULTURE CO.,LTD
■ 设 计 制 作：
　　　　辑： 卓文工作室
　　　　广： 中映（广州）文化传播有限公司
　　　　社： 大连音像出版社有限公司
　　　　话： 0755-26740658　26740502
　　　　箱： LpwH2006@yahoo.com.cn